W9-AQB-065

RECETAS BÁSICAS DE ASIA

RECETAS BÁSICAS DE ASIA

JODY VASALLO
FOTOGRAFÍAS DE CLIVE BOZZARD-HILL

Grijalbo

PRÓLOGO

Cuando pienso en recetas rápidas, fáciles y buenas de verdad, enseguida me decanto por la cocina asiática. En general no precisan más que un wok o una sartén grande, y si ya se ha invertido en un hervidor de arroz, basta con apretar un botón para obtener un arroz perfecto. A veces cuesta un poco encontrar los ingredientes, es cierto, pero cada vez hay más grandes superficies con una sección de productos asiáticos muy surtida.

El éxito de las recetas de este libro depende sobre todo de la preparación de los ingredientes, que deben estar reunidos y troceados antes de empezar a cocinar. Esto explica que casi todos los platos se hagan en menos de 10 minutos.

Escoge una receta al azar del abanico culinario que te propone este libro (Tailandia, Japón, Vietnam, China o Indonesia) y déjate guiar por las fotografías. Enseguida verás que la cocina de Asia es sencilla de preparar y pronto tendrás un recetario mucho más amplio que el de un servicio a domicilio.

❁❁❁

SUMARIO

01

PREPARAR UN WOK

PREPARACIÓN: 5 MINUTOS • COCCIÓN: 20 MINUTOS

NOTA: Después de utilizar el wok hay que enjuagarlo siempre con agua caliente, pero sin jabón. A continuación, se pone a secar en el fuego y se aceita ligeramente con un pincel.

1 2
3 4

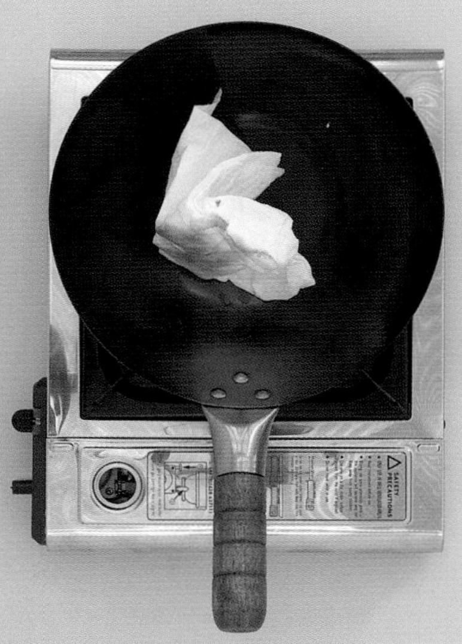

1	Lavar el wok sin estrenar con agua jabonosa para eliminar cualquier rastro de óxido o de grasa. Enjuagar con agua fría y dejar secar.	2	Untar de aceite (de cacahuete) con un pincel toda la superficie interna del wok.
3	Poner a secar el wok a fuego fuerte hasta que se cubra de una capa negra. Dejar enfriar un poco. Limpiar con papel absorbente.	4	Repetir tres veces lo siguiente: aceitar, ennegrecer, dejar enfriar y limpiar. El wok está listo cuando se forma una capa negra protectora.

02

COCER ARROZ

PARA 880 G DE ARROZ COCIDO • PREPARACIÓN: 5 MINUTOS • COCCIÓN: 15 MINUTOS

265 g de arroz jazmín o arroz blanco

02

1 2

3 4

1	Lavar el arroz con agua fría. Parar cuando el agua salga clara.	2	Poner el arroz en una cacerola grande, cubrirlo con 660 ml de agua fría y llevarlo a ebullición.
3	Cuando se formen túneles en el arroz, bajar el fuego al mínimo y tapar la cacerola.	4	Dejar en el fuego hasta que se haya consumido toda el agua. Separar después delicadamente los granos con un tenedor.

03

ARROZ PARA SUSHI

PARA 880 G DE ARROZ COCIDO • PREPARACIÓN: 5 MINUTOS + 1 HORA DE ESCURRIDO • COCCIÓN: 20 MINUTOS

330 g de arroz para sushi

ALIÑO
2 cucharadas de vinagre de arroz
1 cucharada de azúcar glas
2 cucharaditas de sal

1 2

3 4

1	Lavar el arroz y dejarlo escurrir 1 hora. Ponerlo en una cacerola con 375 ml de agua. Dejarlo hervir primero 5 minutos.	2	Bajar el fuego (cocina de gas) o quitar el arroz de la placa (cocina eléctrica). Taparlo y terminar de cocer o dejar reposar 10 minutos.
3	Para la salsa, calentar los ingredientes hasta que se disuelva el azúcar. Verter sobre el arroz extendido en una bandeja. Mezclar bien.	4	Tapar con una servilleta húmeda y dejar enfriar. Este arroz se conserva solo un día. Se presta a todo tipo de sushi.

ENTRANTES

SOPAS

CON LOS DEDOS

ENTREMESES

04

TOM YUM GOONG

PARA 4 PERSONAS • PREPARACIÓN: 20 MINUTOS • COCCIÓN: 15 MINUTOS

8-10 langostinos crudos
4 dientes de ajo machacados
3 tallos de hierba limón en aros finos
2 tomates muy maduros troceados
200 g de champiñones cortados en dos (sin los pies)
3 guindillas cortadas en dos
5 hojas de lima kaffir
3 cucharada de salsa de pescado
2 cucharadas de zumo de lima para servir (optativo)

1

2

3

4

5

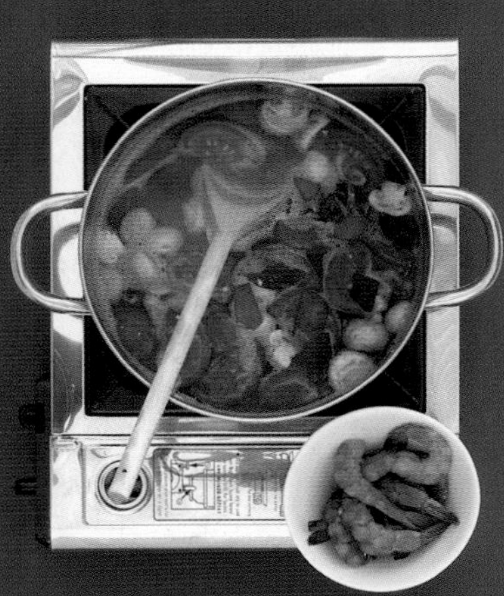

6

1	Pelar los langostinos conservando las colas. Reservar las cáscaras.	2	Ponerlos en una cacerola con 750 ml de agua. Llevar a ebullición.	3	Cuando las cáscaras adquieran un color rosa, colar el caldo y reservarlo.
4	Añadir los ingredientes restantes, llevar a ebullición y cocer 5 minutos.	5	Agregar los langostinos al final. Cocer 3 minutos. Retirar del fuego.	6	Incorporar, si se desea, el zumo de lima y servir enseguida.

05

TOM KAI GAI

PARA 4 PERSONAS • PREPARACIÓN: 10 MINUTOS • COCCIÓN: 10 MINUTOS

5 cm de galanga fresca
2 tallos de hierba limón
800 ml de leche de coco
3 guindillas cortadas en dos
4 hojas de lima kaffir majadas
300 g de pechuga de pollo fileteada
2 cucharadas de zumo de lima
3 cucharadas de salsa de pescado
2 cucharadas de cilantro fresco (optativo)

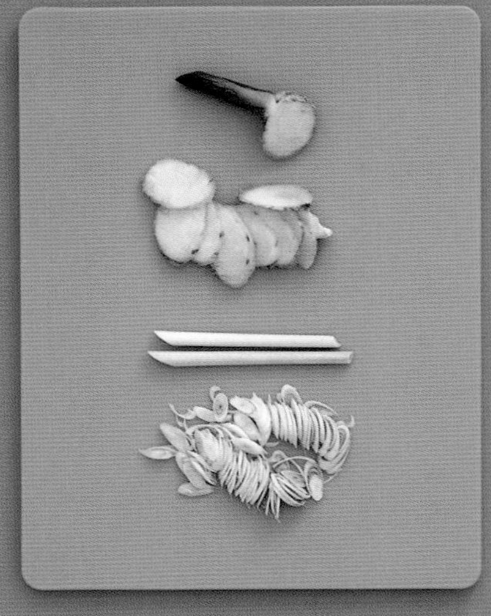

1 2
3 4

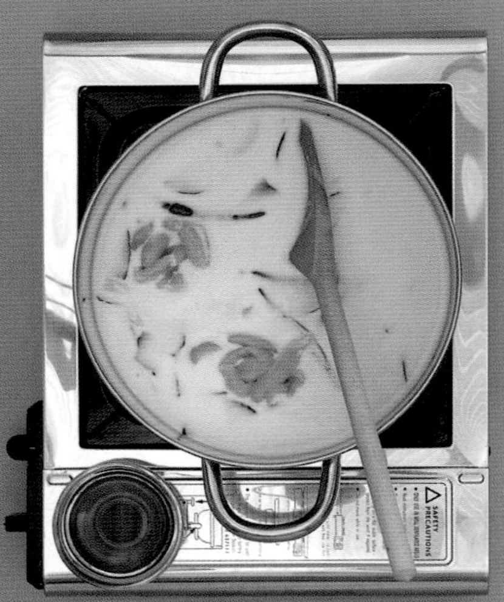

1	Cortar la galanga y los tallos de hierba limón en láminas muy finas.	2	Ponerlas en una cacerola con la leche de coco, las guindillas y las hojas de lima kaffir. Hervir a fuego lento durante 5 minutos.
3	Añadir el pollo y la salsa de pescado. Hervir 5 minutos más hasta que el pollo esté tierno.	4	Apartar la cacerola del fuego. Añadir por último el zumo de lima y el cilantro picado.

06

SOPA DE POLLO Y MAÍZ

PARA 4-6 PERSONAS • PREPARACIÓN: 5-8 MINUTOS • COCCIÓN: 5 MINUTOS

3 mazorcas de maíz
2 × 425 g de crema de maíz
300 g de pechuga de pollo fileteada

1 l de caldo de ave
3 huevos
125 ml de leche concentrada (no azucarada)

Sal
½ cucharadita de pimienta blanca molida
2 cebolletas cortadas en aros

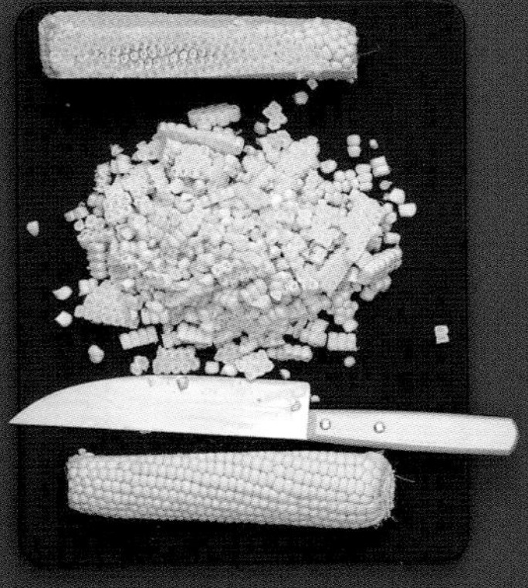

1

2

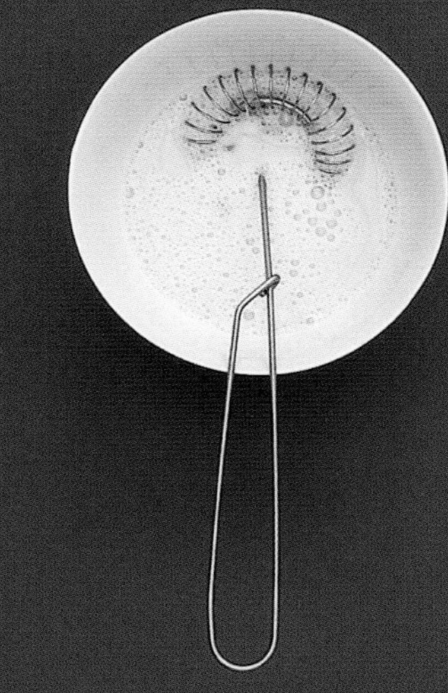

3

4

5

6

1	Con un buen cuchillo, desprender los granos de maíz. Ponerlos en el caldo.	2	Añadir el pollo, llevarlo a ebullición, bajar el fuego y mantenerlo a fuego lento.	3	Agregar la crema de maíz y calentarla. Batir los huevos en un cuenco.
4	Incorporarlos poco a poco al caldo, removiendo. Dejar cocer 1 minuto.	5	Añadir por último la leche concentrada y salpimentar. Calentarlo todo.	6	Servir la sopa en cuencos y decorarla con cebolleta (optativo).

07

SOPA DE MISO

PARA 4 PERSONAS • PREPARACIÓN: 10 MINUTOS + 10 MINUTOS DE ESCURRIDO • COCCIÓN: 10 MINUTOS

100 g de tofu sólido
1 cucharada de wakame
1 cucharadita de dashi en gránulos
3 cucharadas de miso rojo (shiro miso)
2 cebolletas cortadas en aros muy finos

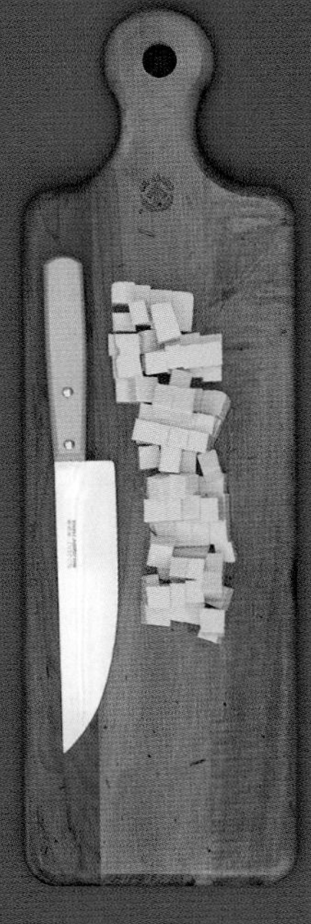

1 2 3

4 5 6

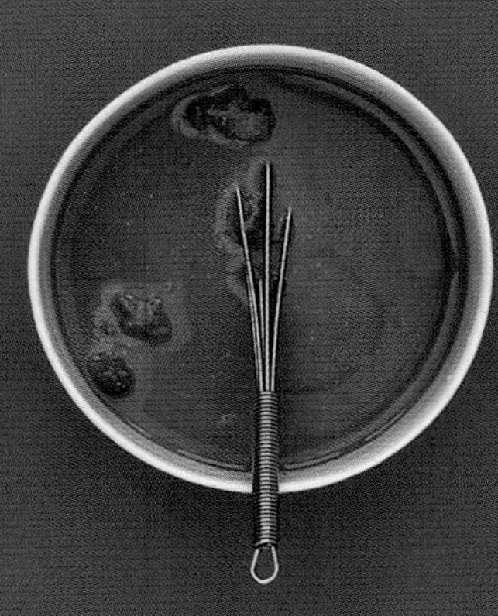

1	Con un cuchillo afilado, cortar el tofu en dados pequeños.	2	Poner a remojar el wakame 10 minutos en agua fría. Escurrirlo bien.	3	Ponerlo con el dashi en 1 litro de agua hirviendo y cocerlo 10 minutos.
4	Diluir el miso con un poco de caldo caliente antes de verterlo en la cacerola.	5	Repartir el tofu en 4 cuencos. Recalentar el caldo sin dejar que hierva.	6	Verterlo muy caliente sobre el tofu. Aderezar con cebolleta antes de servir.

08

SOPA PHO

→ **PARA 4-6 PERSONAS** • PREPARACIÓN: 20 MINUTOS • COCCIÓN: 1 HORA ←

1,5 l de caldo de ternera
50 g de jengibre fresco en láminas finas
2 cebollas cortadas en dos
2 ramitas de canela
2 estrellas de anís

3 clavos
1 cucharadita de pimienta negra en grano
2 cucharadas de salsa de pescado
600 g de fideos de arroz frescos
100 g de brotes de soja

225 g de solomillo de ternera fileteado
2 cebolletas cortadas en aros muy finos
2 cucharadas de cilantro fresco
Gajos de lima y pimienta negra molida para servir

08

1 2

3 4

1	Llevar a ebullición el caldo aromatizado con el jengibre, las cebollas, las especias y la salsa de pescado. Tapar y dejar a fuego lento 30 minutos.	2	Colar el caldo y desechar los residuos sólidos. Verterlo otra vez en la cacerola para llevarlo de nuevo a ebullición.
3	Repartir los fideos, los brotes de soja y las láminas de ternera en cuencos. Cubrir con el caldo muy caliente.	4	Aderezar con cebolleta y cilantro; servir enseguida con los gajos de limón y la pimienta molida.

09

ROLLITOS DE PRIMAVERA

PARA 8 PERSONAS • PREPARACIÓN: 30 MINUTOS

80 g de fideos finos de arroz secos
8 tortas de arroz de 22 cm de diámetro
1 cogollo pequeño de lechuga (20 g) troceado fino

16 hojas de menta fresca
16 gambas rosadas peladas

SALSA
2 cucharadas de salsa de pescado
1 cucharada de zumo de lima
2 cucharadas de salsa de pimiento rojo

1

2

3

4
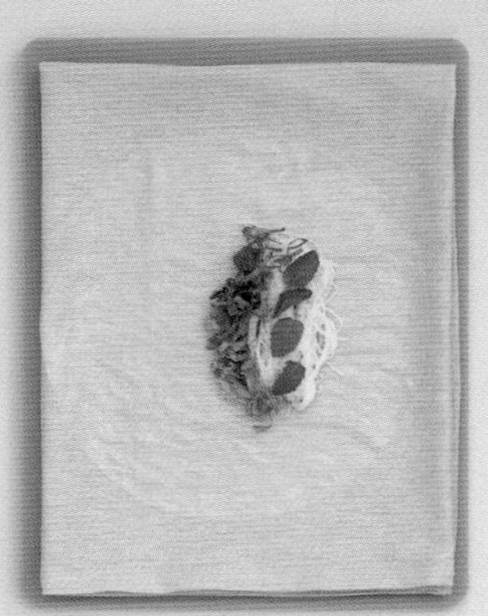

5
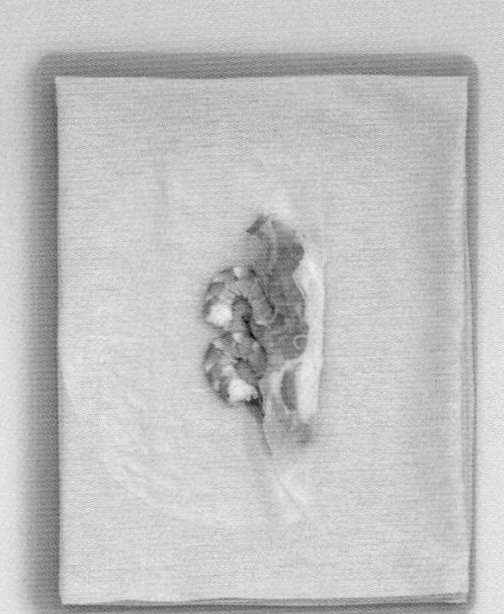

6

1	Cubrir los fideos con agua hirviendo y dejar reposar 5 minutos.	2	Lavarlos y escurrirlos con cuidado.	3	Remojar una torta de arroz en un poco de agua caliente.	
4	Extenderla en una servilleta y colocar en el centro unos cuantos fideos, un poco de lechuga y unas hojas menta.	5	Poner al lado dos gambas peladas. Empezar a enrollar la masa.	6	Doblar la masa por arriba y por abajo cubriendo el relleno.	➢

7	Poner el rollito terminado en un plato y cubrir con papel absorbente húmedo. Preparar los otros rollitos.	**VARIANTE** Para hacer rollitos de primavera vegetarianos, sustituir las gambas por dados de tofu sólido.

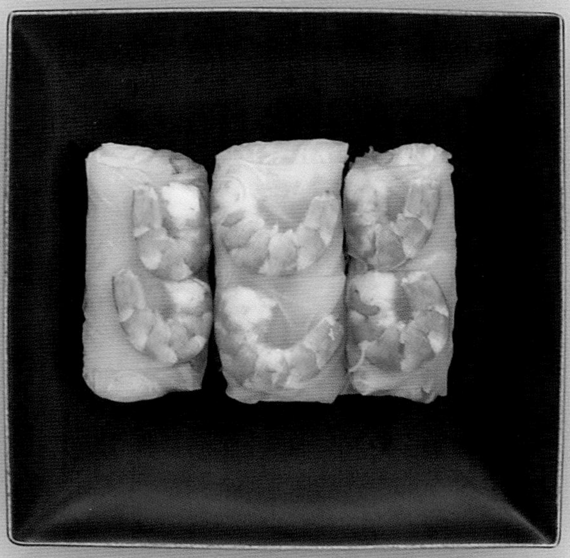

8	Para la salsa, mezclar todos los ingredientes en un bol. Servirla en cuencos pequeños, con los rollos.	**SUGERENCIA DE ACOMPAÑAMIENTO** Estos rollos están muy buenos también con una salsa hoisin aderezada con cacahuetes naturales molidos.

10

NEMS

PARA 8 NEMS • PREPARACIÓN: 30 MINUTOS • COCCIÓN: 20 MINUTOS

80 g de fideos de soja secos
6 setas shiitake secas
1 zanahoria rallada
150 g de carne de cerdo picada

1 cucharada de cilantro fresco
8 tortas de arroz de 22 cm de diámetro
Aceite de cacahuete para la cocción
Col china para servir (optativo)

SALSA

1 cucharada de salsa de pescado
3 cucharadas de zumo de lima
1 diente de ajo picado muy fino
1 guindilla despepitada y picada
1 cucharadita de azúcar glas

1 2

3 4

1	Poner a remojar los fideos 5 minutos en agua caliente. Lavarlos y escurrirlos bien. Cortarlos en trocitos con unas tijeras.	2	Remojar las setas 10 minutos en agua hirviendo. Escurrirlas bien. Retirar el extremo de los pies y filetear los sombreros.	
3	Mezclar en una ensaladera los fideos, las setas, la zanahoria rallada, la carne picada y el cilantro.	4	Remojar una torta de arroz en un poco de agua caliente.	➤

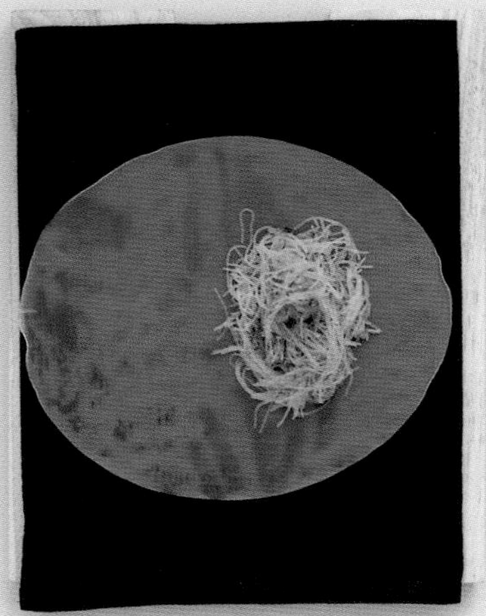

5 6
7 8

5	Extenderla sobre una servilleta limpia. Colocar en uno de los lados un poco de la mezcla de carne.	6	Doblar la masa sobre el relleno y formar un rollo. Repetir el mismo proceso para hacer los otros nems.
7	Freír los nems en aceite muy caliente; han de quedar dorados y crujientes. Escurrirlos sobre papel absorbente.	8	Para la salsa, mezclar todos los ingredientes en un bol. Repartirla en cuencos pequeños para servir.

Colocar los rollos en los platos con un poco de col china como guarnición (optativo). Servir con la salsa.

VARIANTE

Sustituir la carne de cerdo por pechuga de pollo picada.

SUGERENCIA PARA SERVIR

Los nems pueden cortarse en tres y servirse con fideos. Es la receta del bo bun (receta 28), en la cual los nems sustituyen a la ternera.

11

DIM SUM

PARA 14 DIM SUM • PREPARACIÓN: 40 MINUTOS • COCCIÓN: 15 MINUTOS

250 g de carne de cerdo picada
50 g de castañas de agua picadas
1 cucharada de salsa de soja clara
1 cucharada de vino de arroz de Shaoxing
½ cucharadita de aceite de sésamo
1 cebolleta cortada en aros finos
1 cucharada de jengibre fresco rallado
14 cuadrados de pasta de wantán
Salsa de soja para servir

1 2

3 4

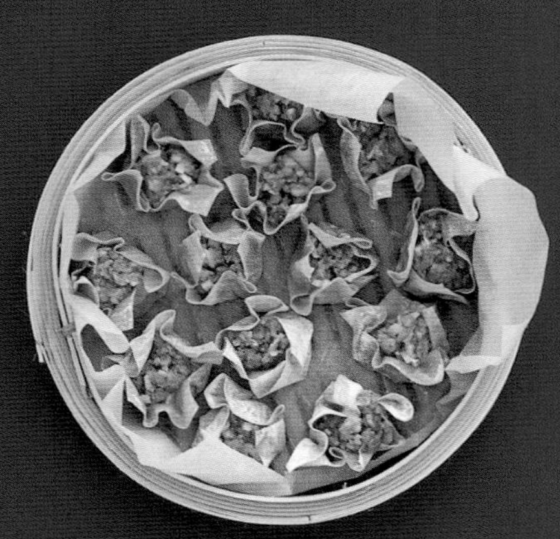

1	Mezclar bien en una ensaladera la carne de cerdo, las castañas de agua, la salsa de soja, el vino de arroz, el aceite de sésamo, la cebolleta y el jengibre.	2	Poner una cucharada de este relleno en medio de un cuadrado de pasta. Doblar la pasta sobre el relleno formando pliegues y sin cerrarla por arriba. Preparar los otros dim sum.
3	Poner los dim sum en una cesta de bambú, tapar y cocerlos 15 minutos al vapor.	4	Servir enseguida con salsa de soja (u otra salsa al gusto).

EDAMAME (HABAS DE SOJA)

PARA 4 PERSONAS • PREPARACIÓN: 5 MINUTOS • COCCIÓN: 10 MINUTOS

500 g de habas de soja congeladas
2 cucharadas de salsa de soja
2 cucharadas de vinagre de arroz
1 cucharadita de jengibre fresco rallado

1 2

3 4

1	Cocer las habas de soja 5 minutos en abundante agua hirviendo.	2	Cuando estén tiernas, lavarlas con agua fría y escurrirlas bien.
3	Como acompañamiento, batir en un bol la salsa de soja, el vinagre de arroz y el jengibre.	4	Servir las habas de soja en sus vainas, con la salsa para acompañar.

13

GYOSA

PARA 30 GYOSA • PREPARACIÓN: 30 MINUTOS • COCCIÓN: 15 MINUTOS

350 g de carne de cerdo picada
90 g de col china rallada
2 cebolletas cortadas en aros finos
2 cucharaditas de jengibre fresco rallado
1 huevo ligeramente batido
1 cucharada de salsa de soja
2 cucharaditas de mirin
2 cucharaditas de sake
30 hojas de pasta de gyosa
2 cucharaditas de aceite vegetal

SALSA
2 cucharadas de salsa de soja
2 cucharadas de vinagre de arroz

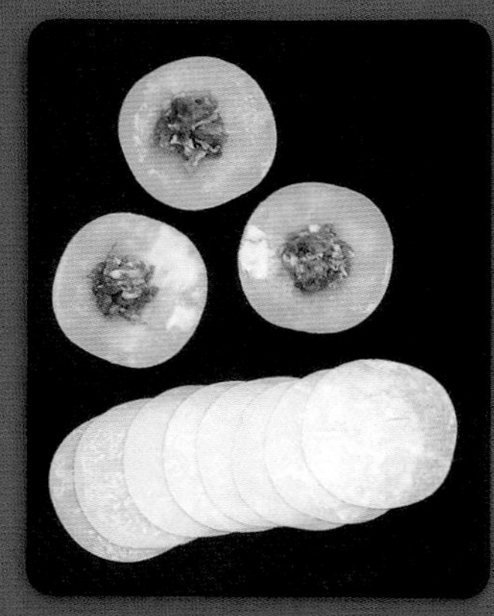

1 2 3

4 5 6

1	Mezclar la carne, la col, la cebolleta, el jengibre, el huevo, la salsa de soja, el mirin y el sake.	2	Extender los discos de pasta sobre una tabla y colocar 2 cucharaditas de relleno en el centro de cada una.	3	Con un pincel de cocina humedecer los bordes con un poco de agua.	
4	Cerrar los discos de gyosa pellizcando los bordes y formando pliegues.	5	Dorarlos en el aceite caliente. Ojo, no deben tocarse.	6	Verter 125 ml de agua, tapar y cocer 5 minutos más.	➢

13

7	Para la salsa, mezclar en un cuenco la salsa de soja y el vinagre de arroz.

TRUCO

Las gyosa pueden prepararse en grandes cantidades y congelarse (sin cocer) en un recipiente hermético.

VARIANTE

Las gyosa también se pueden cocinar al vapor o freírse con aceite abundante.

8	Servir muy calientes, con la salsa.

SUGERENCIA PARA SERVIR

Estos raviolis están muy ricos en sopa. Hay que cocerlos como se indica en la receta y añadirlos a una sopa de fideos udon.

VARIANTE

Se puede añadir al relleno verduras picadas muy finas: setas shiitake, zanahoria, rábano blanco (daikon) o brotes de espinacas troceados.

14

MAKI SUSHI

PARA 4 PERSONAS • PREPARACIÓN: 20 MINUTOS • COCCIÓN: 20 MINUTOS

4-6 hojas de nori
550 g de arroz para sushi (receta 03)
2 cucharadas de mayonesa japonesa

8 palitos de surimi
1 aguacate cortado en tiras finas

PARA SERVIR
Salsa de soja
Wasabi

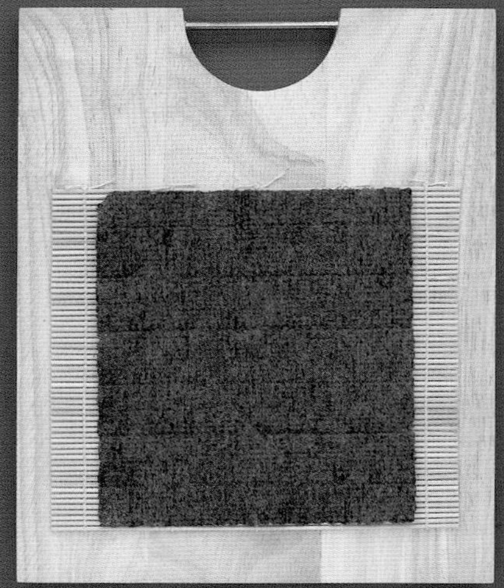

1 2

3 4

1	Poner una hoja de nori bien plana sobre una esterilla de bambú.	2	Cubrirla con una capa uniforme de arroz hasta los dos tercios de su longitud.	
3	Trazar una línea de mayonesa en medio del arroz.	4	Añadir surimi y el aguacate.	➢

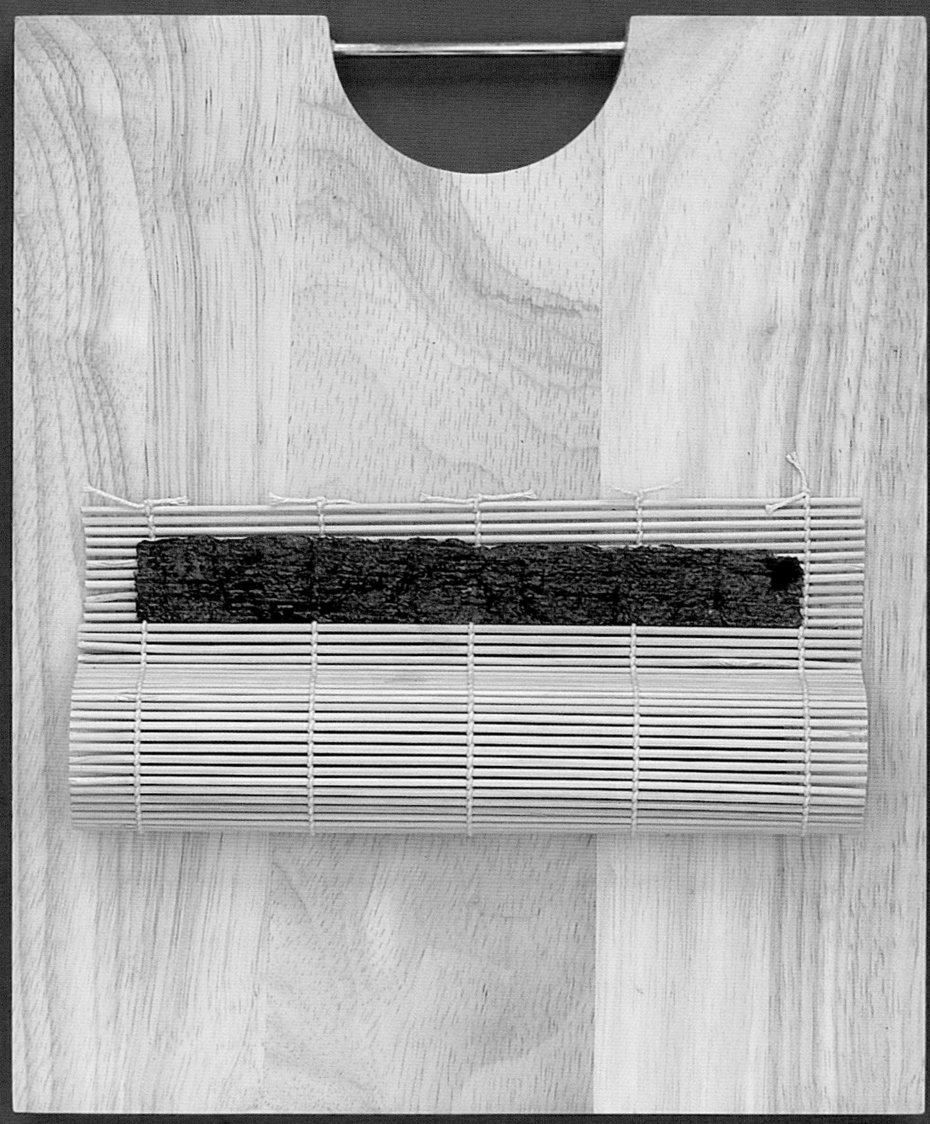

5 Enrollar la hoja de nori con la esterilla empezando por el lado que tiene arroz. Formar un rollo muy apretado.

VARIANTE

Se puede sustituir el surimi por trozos de atún o de salmón.

TRUCO

Los rollos pueden prepararse unas horas antes, pero hay que esperar el momento de servir para cortarlos en trocitos.

6 Con un cuchillo afilado cortar el rollo en dos y volver a cortar cada mitad en tres. Servir con la salsa de soja y el wasabi.

EL TRUCO

Meter las hojas de nori sin usar en una bolsa hermética cerrada para conservarlas frescas.

VARIANTE

Con otras guarniciones se pueden preparar distintas variantes: pollo teryaki, verduras fritas, algas en ensalada, rábano blanco (daikon) con vinagre y zanahoria rallada, pepino y tofu, etc.

15

CROQUETAS DE PESCADO

PARA 24 CROQUETAS • PREPARACIÓN: 15 MINUTOS • COCCIÓN: 20 MINUTOS

500 g de filetes de pescado blanco en dados
2 cucharadas de pasta de curri rojo
100 g de judías serpiente o «kilómetro» (o judías verdes) cortadas muy finas

1 huevo
4 hojas de lima kaffir
750 ml de aceite vegetal

SALSA

1 guindilla picada
½ pepino cortado en dados pequeños
1 cucharada de cilantro fresco
1 cucharada de azúcar glas
125 ml de vinagre de arroz blanco

15

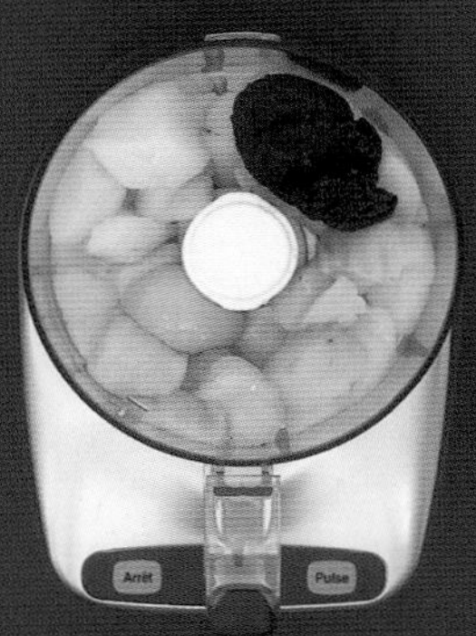

1 2 3

4 5 6

1	Triturar el pescado, la pasta de curri y el huevo. La mezcla debe quedar homogénea.	2	Ponerla en un cuenco y añadir las judías cortadas y las hojas de lima kaffir. Remover.	3	Con una cuchara, formar croquetas planas con la mezcla.
4	Dorarlas en el wok con aceite muy caliente. Escurrirlas bien.	5	Para la salsa, poner los ingredientes en un bol y batir enérgicamente.	6	Servir las croquetas de pescado muy calientes, con la salsa para mojar.

16

TOSTADAS CON GAMBAS

PARA 18 TOSTADAS • PREPARACIÓN: 15 MINUTOS • COCCIÓN: 20 MINUTOS

10 rebanadas de pan de molde
750 g de gambas frescas peladas (es decir, 350 g sin cáscara)
1 clara de huevo
2 cucharaditas de jengibre fresco rallado
2 cucharaditas de vino de arroz de Shaoxing
2 cucharaditas de fécula de maíz
2 cucharadas soperas de cilantro fresco
1 cebolleta cortada en aros finos
4 cucharadas de ajonjolí
Aceite de cacahuete para freír
Salsa de pimiento rojo para servir

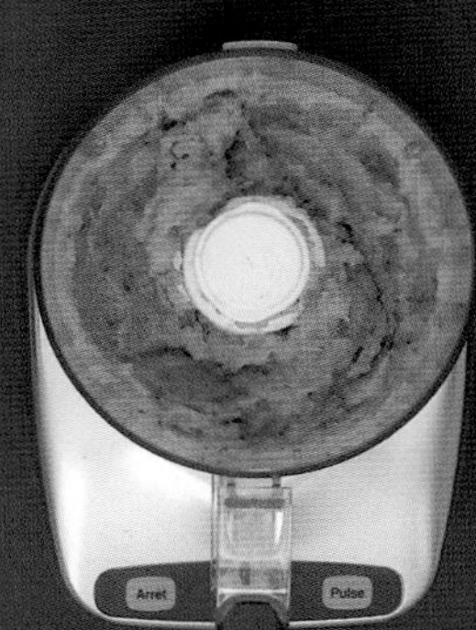

1 2 3

4 5 6

1	Retirar la corteza del pan; cortar las rebanadas en dos rectángulos.	2	Poner en una picadora las gambas, el jengibre, la clara de huevo, el vino y la fécula.	3	Mezclar hasta que los ingredientes formen una masa homogénea.
4	Poner esta masa en una ensaladera; añadir el cilantro y la cebolleta.	5	Untar las tostadas con la masa de gambas; espolvorear con ajonjolí.	6	Freír las tostadas en aceite muy caliente. Servir con la salsa de pimiento.

17

SASHIMI

PARA 4 PERSONAS • PREPARACIÓN: 15 MINUTOS • COCCIÓN: 5 MINUTOS

200 g de atún muy fresco
200 g de salmón muy fresco
200 g de vieiras muy frescas

1 rábano blanco (daikon) bien lavado
1 zanahoria pelada
½ cucharadita de wasabi

SALSA
3 cucharadas de mirin
80 ml de salsa de soja

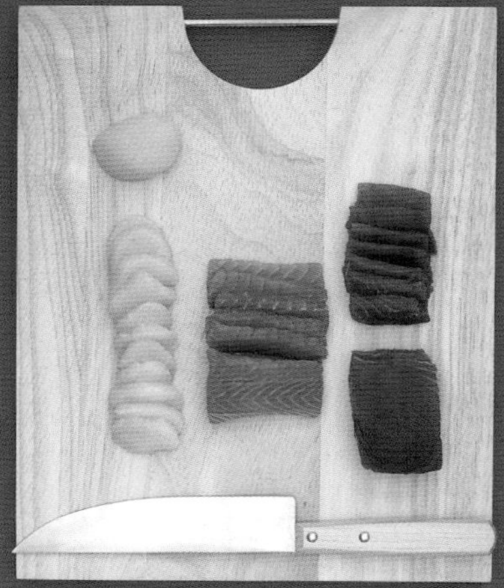

1 2

3 4

1	Cortar el atún, el salmón y las vieiras en filetes no demasiado gruesos (1 cm aproximadamente)	2	Para la salsa, mezclar en una cacerola el mirin y la salsa de soja; hervir durante 5 minutos. Dejar enfriar.
3	Con una mandolina o un cuchillo afilado, cortar el rábano y la zanahoria en tiras muy finas.	4	Repartirlos en platos de presentación. Colocar al lado los filetes de pescado y vieira. Servir con la salsa.

POLLO SATAY

PARA 4 PERSONAS • REMOJO: 15 MINUTOS • PREPARACIÓN: 20 MINUTOS • COCCIÓN: 25 MINUTOS

500 g de pechugas de pollo
palillos de bambú para brochetas

SALSA SATAY
40 g de cacahuetes naturales
250 ml de leche de coco
2 cucharadas de pasta de curri rojo
1-2 cucharadas de azúcar de palma rallado
1 cucharada de concentrado de tamarindo

1 2 3

4 5 6

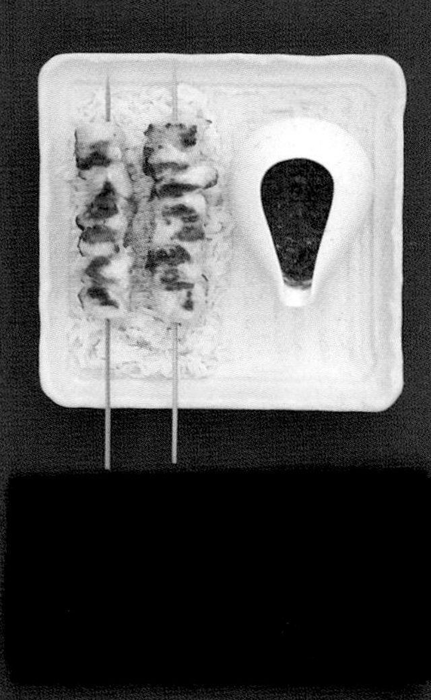

1	Poner en remojo los palillos 15 minutos. Cortar el pollo en dados.	2	Clavar los trozos de pollo en los palillos bien escurridos.	3	Para la salsa, tostar en la sartén los cacahuetes y molerlos en la picadora.
4	Mezclar los ingredientes de la salsa y cocerlos durante 15 minutos.	5	Asar las brochetas dándoles la vuelta varias veces durante la cocción.	6	Servir las brochetas con la salsa satay.

CARNES

CARNES SALTEADAS

CARNES ASADAS

CLÁSICOS

CURRYS

19

LARB DE CERDO

PARA 4 PERSONAS • PREPARACIÓN: 10 MINUTOS • COCCIÓN: 15 MINUTOS

500 g de carne de cerdo picada
¼ de cucharadita de pimentón
1 chalote grueso picado
2 tallos de hierba limón picados muy finos

3 cucharadas de salsa de pescado
3 cucharadas de zumo de lima
2 cucharadas de menta fresca
2 cucharadas de cilantro fresco

PARA SERVIR
1 lechuga pequeña lavada y escurrida
2 limas cortadas en gajos

1 2

3 4

1	En una ensaladera mezclar la carne picada, el pimentón, los chalotes y la hierba limón.	2	En un wok calentado a fuego fuerte, asar la carne hasta que esté cocida, pero sin que se dore demasiado.
3	Retirar del fuego y añadir primero la salsa de pescado y el zumo de lima, y después las hierbas picadas.	4	Servir tibio con hojas de lechuga y gajos de lima.

SUNG CHOI BAU

PARA 4 PERSONAS • PREPARACIÓN: 20 MINUTOS + 10 MINUTOS DE REPOSO • COCCIÓN: 20 MINUTOS

1 lechuga iceberg
4 setas shiitake secas
1 cucharada de aceite de cacahuete
½ cucharadita de aceite de sésamo

500 g de magro de cerdo picado
2 dientes de ajo picados muy finos
65 g de castañas de agua lavadas, escurridas y picadas muy finas

4 cucharadas de salsa de ostras
2 cucharadas de vino de arroz de Shaoxing
1 cucharadita de azúcar glas
2 cebolletas cortadas en aros finos

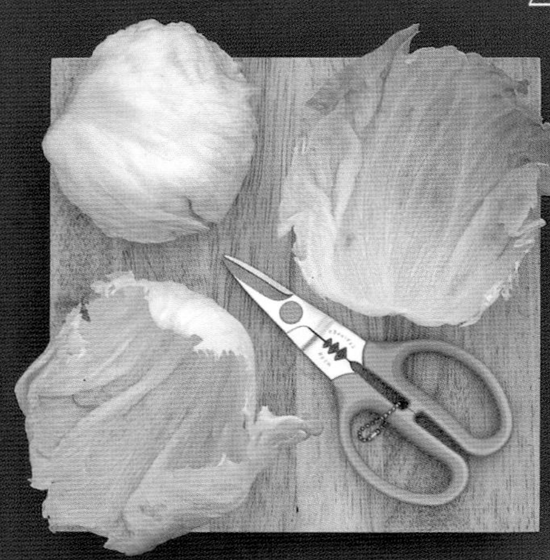

1 2

3 4

1	Con la punta de un cuchillo extraer el corazón duro por la base de la lechuga.	2	Separar con cuidado las hojas y cortarlas para darles forma de copa.	
3	Poner a remojar las setas 10 minutos en agua hirviendo. Retirar el extremo de los pies y cortar en rodajas finas los sombreros.	4	Calentar los aceites en el wok y saltear la carne durante unos 3 minutos hasta que tome color.	➢

5

Añadir el ajo y las castañas de agua. Mezclar 3 minutos en el fuego antes de incorporar la salsa de ostras, el vino de arroz, el azúcar y las cebolletas. Llevar a ebullición y mantener 5 minutos a fuego fuerte para que la salsa se reduzca un poco.

VARIANTE

Esta receta puede prepararse igualmente con ternera o pollo.

EL TRUCO

Aderezar el sung choi bau con fideos de huevo crujientes para darle otra consistencia.

6	Servir en cuencos con las hojas de lechuga aparte o presentar el sung choi bau tibio en las hojas con forma de copa.	**SUGERENCIA** El sung choi bau puede degustarse caliente o frío. Para un bufé, se servirá frío en hojas de cogollo de lechuga.

21

TERNERA CON ALUBIAS NEGRAS

→ PARA 4 PERSONAS • PREPARACIÓN: 20 MINUTOS • COCCIÓN: 10 MINUTOS ←

500 g de solomillo de ternera troceado en láminas finas
1 cucharada de salsa de soja clara
1 cucharada de vino de arroz de Shaoxing
2 cucharadas de aceite de cacahuete
½ cucharadita de aceite de sésamo
1 cebolla cortada en láminas finas
2 dientes de ajo picados finos
1 pimiento rojo cortado en tiras finas
1 pimiento verde cortado en tiras finas
1 cucharadita de azúcar glas
4 cucharadas de alubias negras de lata lavadas y escurridas
4 cucharadas de salsa de ostras
Arroz cocido para servir (receta 02)

1

2

3

4

5

6

1	Mezclar la ternera, la salsa de soja y el vino de arroz (en un cuenco de cristal).	2	Saltear la cebolla y el ajo 3 minutos en un wok con el aceite caliente.	3	Añadir la ternera y rehogarla 5 minutos; la carne debe quedar tierna.
4	Añadir las cintas de pimiento y saltearlas a fuego fuerte removiéndolas.	5	Añadir por último las alubias negras, el azúcar y la salsa de ostras.	6	Dejar cocer a fuego fuerte 2 minutos más antes de servir la ternera con arroz.

YAKI SOBA

⇝ **PARA 4 PERSONAS** • PREPARACIÓN: 15 MINUTOS • COCCIÓN: 15 MINUTOS ⇜

1 cucharada de aceite vegetal
300 g de solomillo de cerdo troceado en láminas
400 g de fideos soba o fideos hokkien frescos
200 g de gambas cocidas peladas
200 g de col china troceada fina
3 cebolletas cortadas en aros finos
1 pimiento rojo cortado en bastoncitos
3 cucharadas de salsa de soja clara
1 cucharada de azúcar glas
1 huevo ligeramente batido
Jengibre marinado para servir

1 2 3

4 5 6

1	Calentar la mitad del aceite en un wok y rehogar el cerdo.	2	Cocer los fideos 3 minutos en agua hirviendo. Escurrirlos bien.	3	Mezclar el cerdo y los fideos con los demás ingredientes.
4	Saltear esta mezcla en el wok con el aceite que queda apenas humeante.	5	Remover bien para que los ingredientes se hagan de manera uniforme.	6	Decorar con tiras finas de jengibre marinado y servir enseguida.

TERNERA SALTEADA

PARA 4 PERSONAS • MARINADO: 30 MINUTOS • PREPARACIÓN: 15 MINUTOS • COCCIÓN: 10 MINUTOS

5 chalotes
4 cucharadas de vinagre blanco
1 cucharada de azúcar glas

1 cucharada de salsa de pescado
4 dientes de ajo picados muy finos
2 cucharadas de aceite vegetal

500 g de cadera de ternera cortada en dados pequeños
50 g de mantequilla
1 cogollo de lechuga lavado y escurrido

1 2

3 4

1	Pelar los chalotes, cortarlos en rodajas finas y ponerlos en el vinagre con 2 cucharadas de agua. Añadir los dados de ternera y marinar 30 minutos.	2	Mezclar en una ensaladera el azúcar, la salsa de pescado, el ajo y 1 cucharada de aceite. Añadir la ternera escurrida (conservar la marinada).
3	Fundir la mantequilla con el aceite restante en un wok. Saltear los dados de ternera a fuego fuerte; deben quedar poco cocidos por dentro.	4	Escurrir los chalotes y distribuirlos en las hojas de lechuga dispuestas en una fuente. Aderezarlas con los dados de ternera y servir enseguida.

CERDO CHAR SUI

PARA 4-6 PERSONAS • MARINADO: 2-8 HORAS • PREPARACIÓN: 15 MINUTOS • COCCIÓN: 30 MINUTOS

2 dientes de ajo picados muy finos
1 cucharada de jengibre fresco rallado
1 cucharada de vinagre de malta
60 ml de vino de arroz de Shaoxing
60 ml de salsa hoisin
60 ml de salsa char sui
1 cucharada de salsa de soja clara
500 g de paletilla de cerdo deshuesada y cortada en trozos grandes
1 ½ cucharadas de miel líquida

PARA ACOMPAÑAR
Arroz y verduras asiáticas al vapor (pak choi, choy sum…)

1 2

3 4

1	Mezclar en una ensaladera de cristal el ajo, el jengibre, el vinagre, el vino de arroz y las tres salsas. Añadir la carne, remover, tapar y dejar marinar entre 2 y 8 horas.	2	Precalentar el horno a 240 °C (termostato 8). Colocar los trozos de carne en una rejilla, encima de una bandeja de horno llena de agua hasta la mitad.
3	Asar unos 30 minutos. Humedecer regularmente la carne con la marinada.	4	Verter la miel en una cacerola pequeña y llevar a ebullición. ➢

5	Con un pincel, untar los trozos de cerdo con la miel caliente en cuanto salgan del horno. Dejar enfriar.

TRUCO

Cuanto más tiempo permanezca la carne en la marinada, más intensos serán los sabores.

SUGERENCIA

El cerdo char sui está delicioso con fideos salteados con verduras. Habrá que cortarlo en filetes finos antes de añadirlo al wok.

6 Servir el cerdo en filetes, con verduras al vapor y arroz.

TRUCO

Aprovechar la carne sobrante para preparar rollitos de primavera o sushi.

SUGERENCIA

El cerdo char sui (en filetes finos) sirve para aderezar una sopa china de raviolis y fideos.

25

ENSALADA DE TERNERA

PARA 4 PERSONAS • PREPARACIÓN: 10 MINUTOS + 10 MINUTOS DE REPOSO • COCCIÓN: 5 MINUTOS

500 g de cadera de ternera
1 cucharada de aceite vegetal
150 g de lechuga mizuna (o rúcula)
3 cebolletas
2 cucharadas de ajonjolí tostado en la sartén

SALSA
3 cucharadas de salsa de soja clara
3 cucharadas de zumo de limón
1 cucharadita de azúcar glas
1 diente de ajo picado muy fino
½ cucharadita de aceite de sésamo
1 cucharadita de jengibre fresco rallado

1	Para la salsa, mezclar todos los ingredientes en un cuenco de cristal.	2	Untar la carne con aceite y asarla a la plancha durante 3 minutos por cada lado.	3	Taparla con papel de aluminio y dejarla reposar 10 minutos.
4	Cortar la carne en filetes finos.	5	Repartir la lechuga y las cebolletas en platos.	6	Añadir la carne y el ajonjolí. Cubrir de salsa.

BUN CHA

PARA 4 PERSONAS • MARINADO: 4 HORAS • PREPARACIÓN: 20 MINUTOS • COCCIÓN: 20 MINUTOS

1 cucharada de azúcar de palma rallado
2 cucharadas de salsa de pescado
2 dientes de ajo picados muy finos
2 chalotes cortados en rodajas

500 g de carne de cerdo picada
200 g de fideos de arroz secos
100 g de brotes de soja
Cilantro y menta fresca
Hojas de lechuga

SALSA PARA MOJAR
4 cucharadas de salsa de pescado
6 cucharadas de zumo de lima
2 cucharaditas de azúcar glas
2 guindillas despepitadas y picadas

1 2 3

4 5 6

1	Disolver el azúcar a fuego lento en la salsa de pescado sin parar de remover. Dejar enfriar.	2	En una ensaladera, mezclar esta salsa con el ajo, los chalotes y la carne. Dejar marinar 4 horas.	3	Con esta mezcla, formar albóndigas ovaladas del tamaño de 2 cucharadas soperas cada una.
4	Asarlas en una plancha de hierro colado hasta que se doren bien.	5	Mezclar los ingredientes de la salsa. Cocer los fideos y escurrirlos.	6	Servir las albóndigas con los fideos, la soja, la lechuga, las hierbas y la salsa.

27

CERDO AL ESTILO INDONESIO

PARA 4 PERSONAS • MARINADO: 30 MINUTOS • PREPARACIÓN: 10 MINUTOS • COCCIÓN: 15 MINUTOS

500 g de solomillo de cerdo
2 cucharadas de harina
1 cucharada de salsa de soja
½ cucharadita de jengibre molido

3 cucharadas de aceite vegetal
1 cebolla picada muy fina
3 dientes de ajo picados muy finos
5 cm de jengibre fresco rallado

125 ml de kecap manis
1 cucharadita de pimentón
1 cucharada de zumo de limón
Arroz cocido para servir (receta 02)

1 2

3 4

1	En una ensaladera, mezclar la harina, la salsa de soja y el jengibre molido. Añadir la carne cortada en dados. Dejar marinar 30 minutos.	2	Calentar el aceite en un wok y dorar la carne a fuego fuerte en varias tandas.
3	Añadir la cebolla, el ajo y el jengibre fresco. Prolongar la cocción hasta que se deshagan las cebollas.	4	Añadir el kecap manis, 3 cucharadas de agua y el pimentón. Dejar que se espese 5 minutos. Agregar el zumo de limón. Servir con el arroz.

BO BUN

PARA 4 PERSONAS • MARINADO: 30 MINUTOS • PREPARACIÓN: 15 MINUTOS • COCCIÓN: 10 MINUTOS

4 cucharadas de salsa de pescado
3 cucharadas de azúcar de palma rallado
200 g de fideos finos secos
2 cucharadas de salsa de soja
2 cucharadas de salsa de ostras
2 cucharaditas de curry en polvo
1 diente de ajo machacado
2 tallos de hierba limón cortados en rodajas finas
500 g de solomillo de ternera en láminas
2 cucharadas soperas de aceite vegetal
1 zanahoria cortada en juliana
½ pepino cortado en juliana
100 g de brotes de soja
10 g de menta fresca
15 g de cilantro fresco
100 g de cacahuetes naturales tostados y picados en trozos grandes

28

1 2

3 4

1	En un cazo pequeño calentar la salsa de pescado con 2 cucharadas de agua y el azúcar. Remover hasta disolver el azúcar. Dejar enfriar.	2	Cocer los fideos entre 3 y 5 minutos en agua hirviendo. Escurrirlos bien y dejarlos reposar en agua fría.	
3	Mezclar la salsa de soja, la salsa de ostras, el curry, el ajo y la hierba limón. Añadir la carne y remover. Tapar y marinar 30 minutos.	4	Calentar el aceite en un wok a fuego fuerte. Saltear la carne en varias tandas hasta que quede bien dorada.	➢

5 Escurrir bien los fideos y repartirlos en cuatro platos. Aderezar con la juliana de zanahoria y pepino, la soja, la menta y el cilantro.

VARIANTE

Si es posible, se asará la carne a la barbacoa o en una plancha de hierro colado para darle más sabor.

TRUCO

La carne quedará más aromatizada si se marina en la salsa toda la noche dentro de la nevera.

6 Repartir la carne en platos y aderezarla con los cacahuetes picados. Cubrir con la mezcla de azúcar y salsa de pescado.

TRUCO

Esta ensalada se puede degustar tanto tibia como fría.

VARIANTE

Se puede sustituir la ternera por cordero o nems cortados en trocitos (receta 10).

CERDO TONKATSU

PARA 4 PERSONAS • PREPARACIÓN: 20 MINUTOS • COCCIÓN: 10 MINUTOS

4 escalopes de cerdo
125 g de harina
2 huevos ligeramente batidos
60 g de pan rallado japonés (en su defecto, pan rallado clásico)

Aceite de cacahuete para la cocción
150 g de col en juliana
1 limón cortado en gajos

SALSA TONKATSU
40 ml de ketchup
60 ml de salsa Worcestershire

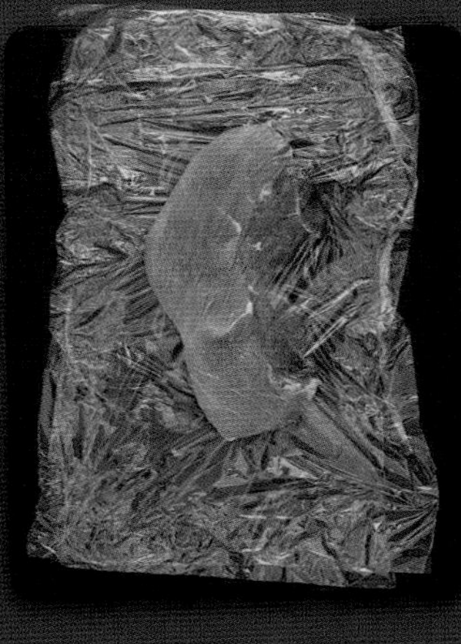

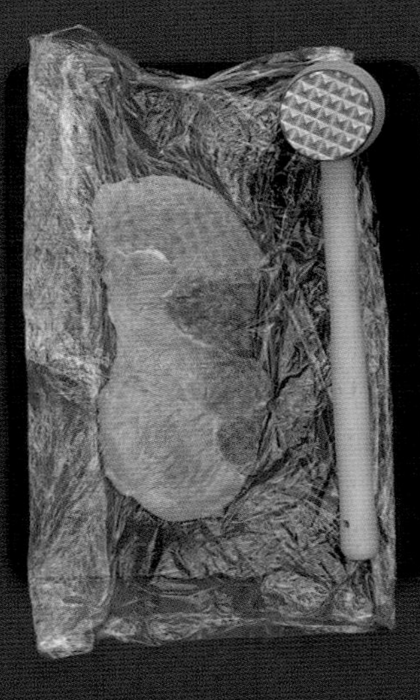

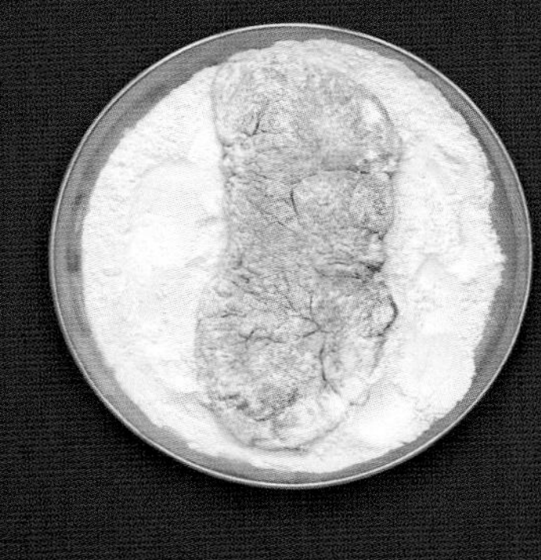

1 2 3

4 5 6

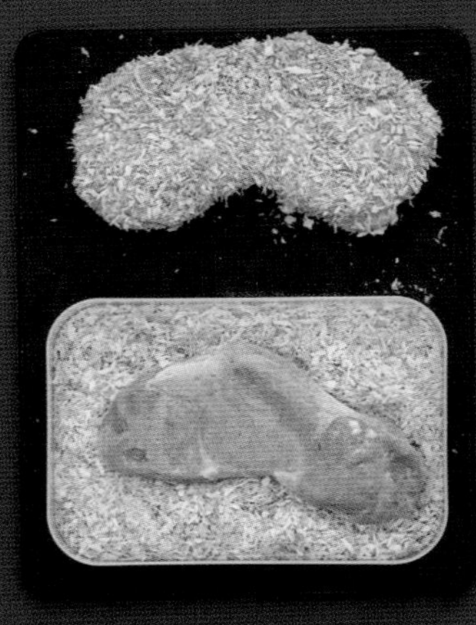

1	Poner un escalope entre dos hojas de film transparente.	2	Aplastarlo con el mazo de cocina. Repetir la operación con todos los escalopes.	3	Enharinar los escalopes por ambos lados. Sacudirlos para quitar el exceso de harina.
4	Sumergir los escalopes en el huevo batido antes de pasarlos por el pan rallado.	5	Freírlos a fuego fuerte en aceite caliente (3 minutos por cada lado). Escurrir en papel absorbente.	6	Mezclar el ketchup y la salsa Worcestershire. Servir los escalopes empanados con la col, el limón y la salsa.

30

CURRY DE TERNERA MASAMAN

PARA 4 PERSONAS • PREPARACIÓN: 20 MINUTOS • COCCIÓN: 25 MINUTOS

2 patatas
1 cucharada de aceite vegetal
3 cucharadas de curry masaman
500 g de cadera de ternera cortada en dados
1 cebolla picada
500 ml de leche de coco
2 cucharadas de azúcar de palma rallado
2 cucharadas de salsa de pescado
3 cucharadas de puré de tamarindo
3 cucharadas de cacahuetes naturales tostados y picados en trozos grandes
Arroz jazmín al vapor para servir (receta 02)

1 2 3

4 5 6

1	Pelar las patatas, cortarlas en dados y hervirlas en agua o al vapor.	2	Verter aceite en un wok para calentar la pasta de curry 3 minutos a fuego lento.	3	Aumentar a fuego medio para dorar la carne con las patatas y la cebolla.
4	Verter la leche de coco, el azúcar y la salsa de pescado. Llevar a ebullición.	5	Mantener a fuego lento 10 minutos. Añadir el tamarindo y cocer 5 minutos.	6	Aderezar con cacahuetes picados y servir caliente, con el arroz jazmín.

31

CURRY DE TERNERA RENDANG

PARA 6 PERSONAS • MARINADO: 30 MINUTOS • PREPARACIÓN: 35 MINUTOS • COCCIÓN: 1 H 30

60 g de pimientos rojos secos
1 cucharadita de semillas de cilantro
1 cucharada de jengibre picado
2 cucharaditas de comino molido
½ cucharadita de clavo molido

¼ de cucharadita de cúrcuma
3 dientes de ajo pelados
10 chalotes en rodajas
1 kg de redondo de ternera
30 g de nuez de coco seca

500 ml de leche de coco
2 tallos de hierba limón
1 cucharada de galanga picada
2 cucharaditas de azúcar de palma rallado
Arroz cocido para servir (receta 02)

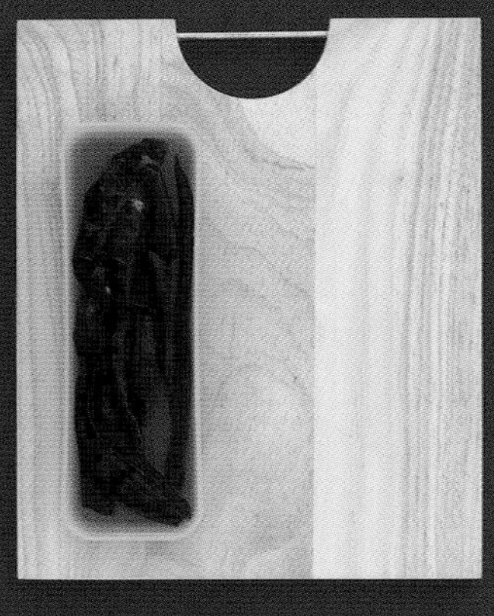

1

2

3

4

5

6

1	Remojar los pimientos 15 minutos en agua hirviendo. Escurrirlos y picarlos en trozos grandes.	2	Triturarlos con el jengibre, el cilantro, el comino, el clavo, la cúrcuma, el ajo y los chalotes.	3	Para obtener una masa homogénea, añadir un poco de agua y seguir triturando.	
4	Aliñar la carne con esta masa y dejar marinar durante 30 minutos.	5	Poner la carne en un wok y añadir los ingredientes restantes (excepto el arroz)	6	Cuando rompa a hervir, cocer a fuego lento 1 hora y media.	➤

31

7

Si el curry queda demasiado líquido, prolongar la cocción unos minutos. Remover a menudo para evitar que se pegue.

TRUCO

Los aromas serán más potentes si se prepara el curry la noche anterior.

VARIANTE

Esta receta puede prepararse perfectamente en una olla de presión. Habrá que calcular 20 minutos de cocción.

8	Servir el curry enseguida, con arroz blanco.	**VARIANTE** Para que este curry medianamente especiado sea más picante, se puede añadir alguna guindilla.

TRUCO	**SUGERENCIA**
Este curry es más bien seco. Hay que dejarlo cocer hasta que el líquido se haya evaporado casi del todo.	El curry de ternera rendang es ideal para rellenar unas tartaletas en un bufé.

32

CURRY DE TERNERA JAPONÉS

PARA 4 PERSONAS • PREPARACIÓN: 15 MINUTOS • COCCIÓN: 20 MINUTOS

1 cucharada de aceite vegetal
500 g de cadera de ternera cortada en dados
1 cebolla picada

2 patatas cortadas en dados pequeños
1 zanahoria cortada en dos a lo largo y luego en rodajas medianas
1 paquete de curry japonés

1 2

3 4

1	Dorar la carne en una sartén grande con aceite caliente. Añadir la cebolla y dorarla 5 minutos a fuego medio.	2	Añadir las patatas y la zanahoria, verter 500 ml de agua, tapar y dejar hervir a fuego lento 10 minutos para que las verduras queden tiernas.
3	Agregar el curry a la sartén y cocer 5 minutos más, removiendo a menudo.	4	El curry está listo cuando la salsa se ha espesado. Servir enseguida.

AVES

POLLO CON FIDEOS

CURRYS

SALTEADOS

CLÁSICOS

33

POLLO SALTEADO CON ESPECIAS

PARA 4 PERSONAS • PREPARACIÓN: 15 MINUTOS • COCCIÓN: 15 MINUTOS

600 g de fideos udon precocidos
1 cucharada de aceite vegetal
300 g de pollo troceado
3 cebolletas cortadas en aros

1 pimiento rojo cortado en tiras finas
200 g de setas shiitake troceadas
2 bok choy troceadas (o col china)
100 g de brotes de soja

2 cucharadas de sake
3 cucharadas de salsa de soja clara
3 cucharadas de salsa de pimiento rojo
½ cucharadita de guindillas secas en copos

1

2

3

4

5

6

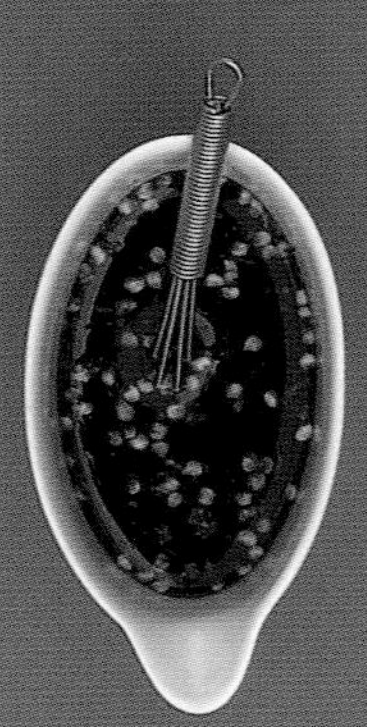

1	Separar con cuidado los fideos.	2	Dorar el pollo en el wok con aceite caliente.	3	Agregar las cebolletas, el pimiento y las setas y cocer 3 minutos.
4	Añadir los fideos, la bok choy y la soja. Calentar removiendo.	5	Mezclar el sake, las salsas y la guindilla. Verter la mezcla en el wok.	6	Calentar rápidamente y servir enseguida.

34

POLLO CON FIDEOS RAMEN

PARA 4 PERSONAS • PREPARACIÓN: 5 MINUTOS • COCCIÓN: 10 MINUTOS

2 pechugas de pollo
1 cucharadita de aceite vegetal
1 cucharada de salsa de pimiento

200 g de fideos ramen o instantáneos
1 bok choy troceada

1 l de caldo de ave caliente
3 cebolletas troceadas

1 2 3

4 5 6

1	Aceitar las pechugas de pollo y asarlas en una parrilla de hierro colado.	2	Sacarlas de la parrilla y dejarlas reposar 5 minutos. Cortarlas en filetes.	3	Cocer los fideos durante 2 o 3 minutos en agua hirviendo.
4	Escurrirlos y repartirlos enseguida en cuencos.	5	Añadir la bok choy y verter encima un poco de caldo caliente.	6	Poner el pollo y las cebolletas encima de los fideos. Servir enseguida.

PAD THAI

PARA 4 PERSONAS • PREPARACIÓN: 30 MINUTOS + 15 MINUTOS DE REPOSO • COCCIÓN: 15 MINUTOS

300 g de fideos de arroz secos
2 cucharadas de aceite vegetal
300 g de pechuga de pollo fileteada
100 g de tofu sólido cortado en láminas finas

3 dientes de ajo picados finos
2 cucharadas de gambas secas
125 ml de salsa de pescado
2 cucharadas de azúcar glas
80 ml de concentrado de tamarindo

3 huevos ligeramente batidos
3 cucharadas de cacahuetes picados
2 tallos de ajos tiernos troceados
100 g de brotes de soja
1 lima cortada en gajos

1 2

3 4

1	Poner los fideos en un cuenco y cubrir con agua fría. Dejarlos reposar 15 minutos para que se ablanden. Escurrirlos bien.	2	Verter el aceite en un wok caliente y rehogar a fuego fuerte el pollo y el tofu durante 5 minutos.	
3	Añadir el ajo y las gambas secas. Prolongar la cocción 2 minutos más. Agregar por último los fideos.	4	En un cuenco, mezclar la salsa de pescado, el azúcar, el tamarindo y 125 ml de agua. Verter en el wok.	➢

5

Cocer 5 minutos más a fuego fuerte.
A continuación, apartar la mezcla a un lado del wok para cocer los huevos en la parte despejada. Añadir los cacahuetes y los brotes de ajo y después remover los huevos con los fideos.

TRUCO

No sumergir los fideos en agua caliente porque se ablandan mucho y se pegan.

PARA LOS VEGETARIANOS

Preparar este pad thai duplicando la cantidad de tofu y suprimiendo el pollo y las gambas. Sustituir también la salsa de pescado por salsa de soja.

6	Cocer 2 minutos más antes de añadir los brotes de soja. Mezclar bien y servir enseguida.	**SUGERENCIA** Para que el plato sea más sofisticado, añadir 250 g de gambas frescas peladas.

TRUCO

Al recalentar un resto de pad thai, verter un poco de agua en el wok para evitar que los fideos se peguen.

TRUCO

En el paso 5, cocer los fideos bastante tiempo para que queden flexibles y muy calientes.

CURRY DE PATO CON PIÑA

PARA 4 PERSONAS • PREPARACIÓN: 15 MINUTOS • COCCIÓN: 20 MINUTOS

200 g de leche de coco + la crema espesa de la superficie (no agitar la lata)
2-3 cucharadas de pasta de curry rojo

1 pato laqueado en trozos
250 g de piña en dados pequeños
1 pimiento rojo en trozos

1 cucharada de salsa de pescado
1 cucharada de azúcar de palma rallado
2 cucharadas de albahaca tailandesa fresca

1 2

3 4

1	Separar la crema de leche de coco y calentarla en un wok sin remover para que se desligue.	2	Añadir la pasta de curry y calentarla 5 minutos para que se desprendan los aromas.
3	Agregar la leche de coco y añadir los trozos de pato, la piña, el pimiento, la salsa de pescado y el azúcar. Cocer 15 minutos más.	4	Repartir en cuencos y decorar con hojas de albahaca para servir.

37

PASTA DE CURRY VERDE

PARA 100 G • PREPARACIÓN: 5 MINUTOS • COCCIÓN: 3 MINUTOS

½ cucharadita de semillas de comino
½ cucharadita de semillas de cilantro
1 estrella de anís
½ cucharadita de pimienta blanca en grano
1 cucharadita de sal fina

3 dientes de ajo pequeños
4 tallos de hierba limón
2 cucharaditas de galanga picada
1 cucharada sopera de raíz de cilantro fresca picada

8 chalotes
1 guindilla verde pequeña
6 guindillas verdes grandes
15 g de hojas de cilantro
Aceite vegetal

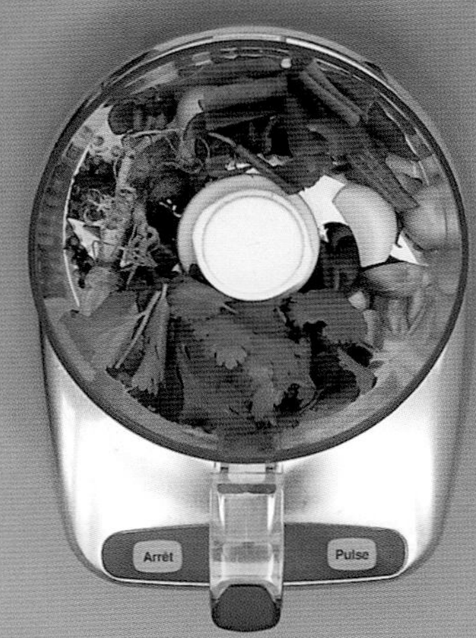

1 2

3 4

1	Tostar en una sartén en seco (sin materia grasa) durante 3 minutos las semillas de comino y de cilantro, la estrella de anís y la pimienta.	2	Ponerlas en la picadora con la sal y los ingredientes restantes (excepto el aceite) cortados en trozos grandes.
3	Triturar hasta obtener una masa homogénea. Habrá que rascar varias veces las paredes de la picadora con una espátula flexible.	4	Poner la masa en un cuenco, verter encima una capa fina de aceite para que se conserve y tapar con film transparente. Guardar en la nevera.

CURRY VERDE DE POLLO

PARA 4 PERSONAS • PREPARACIÓN: 15 MINUTOS • COCCIÓN: 20 MINUTOS

4 hojas de lima kaffir
1 cucharada de azúcar de palma (optativo)
1 cucharada de aceite vegetal
2-3 cucharadas de pasta de curry verde

500 ml de leche de coco
500 g de pechugas de pollo troceadas
6 berenjenas tailandesas (redondas) pequeñas cortadas en dos o en cuatro

1 cucharada de salsa de pescado
1 ramillete de albahaca tailandesa
Arroz cocido para servir (receta 02)

1 2

3 4

1	Cortar en juliana las hojas de lima kaffir. Rallar el azúcar de palma, si se usa.	2	Calentar el aceite en un wok. Añadir la pasta de curry y remover algunos minutos para que se desprendan los aromas.	
3	Verter la leche de coco y calentar 5 minutos más sin dejar de remover.	4	Añadir el pollo, las berenjenas y las hojas de lima kaffir. Hervir a fuego lento 5 minutos para que la carne se cueza bien.	➢

5 Aliñar con la salsa de pescado. Añadir, si se desea, el azúcar de palma y remover para que se mezcle bien.

VARIANTE

Este curry puede prepararse con otras verduras frescas: judías verdes, mazorcas pequeñas de maíz, coliflor, brécol…

TRUCO

El curry se conserva muy bien en el congelador, en una tartera hermética. Apuntar la fecha en una etiqueta y consumir en el plazo de 6 semanas.

6 Decorar el curry con hojas de albahaca enteras y servirlo con arroz.

TRUCO

Este curry será más aromático si se prepara la noche anterior o por la mañana para la hora de cenar. Recalentar a fuego lento antes de servir.

TRUCO

La pasta de curry verde es más fuerte que la de curry rojo, y algunos preparados comerciales pueden ser muy picantes. Se recomienda probarlos antes para ajustar la cantidad. Asimismo, se puede añadir un poco de pasta de curry al final de la cocción si la receta no queda lo bastante especiada.

CURRY DE POLLO VIETNAMITA

PARA 4 PERSONAS • MARINADO: 3 HORAS • PREPARACIÓN: 15 MINUTOS • COCCIÓN: 50 MINUTOS

1 trocito de galanga
3 tallos de hierba limón
3 dientes de ajo
1 cebolla

2 cucharadas de curry en polvo
1,5 kg de pollo troceado
2 cucharadas de aceite vegetal
500 ml de leche de coco

1 cucharada de azúcar glas
500 g de patatas cortadas en dados
Arroz cocido para servir (receta 02)

1 2

3 4

1	Picar en trozos medianos la galanga, la hierba limón, el ajo y la cebolla.	2	Ponerlos con la pasta de curry en una picadora y triturar hasta obtener una masa homogénea.	
3	Bañar el pollo en esta masa, tapar y dejar marinar 3 horas en la nevera.	4	Calentar el aceite en una sartén grande y dorar el pollo.	➢

5	Añadir la leche de coco, el azúcar, 250 ml de agua y las patatas. Tapar y hervir a fuego lento 40 minutos aproximadamente.

TRUCO

Para esta receta se pueden comprar cuartos de pollo cortados en dos o solo muslitos.

SUGERENCIA

Este curry puede prepararse antes (la noche anterior o por la mañana para la cena). En este caso, no hay que añadir las patatas en el paso 5, sino cocerlas antes de recalentar el curry y agregarlas 15 minutos antes de servir para que terminen de cocerse en la salsa.

6 El curri está listo cuando la carne queda muy tierna. Servir de inmediato, con arroz.

SUGERENCIA

El curry en polvo se puede preparar con especias enteras (cilantro, comino, cardamomo, canela, nuez moscada y clavo) tostadas y luego machacadas.

TRUCO

Este curry también se puede hacer con un pollo entero de 1,5 kg cortado primero en seis trozos (dos muslos, dos alas y dos pechugas). Luego se volverán a cortar las pechugas y los muslos en dos. Para ahorrar tiempo, lo mejor es pedirle al carnicero que corte la carne.

40

POLLO CON ALBAHACA

PARA 4 PERSONAS • PREPARACIÓN: 15 MINUTOS • COCCIÓN: 10 MINUTOS

1 cucharada de aceite vegetal
500 g de pechugas de pollo troceadas
2 dientes de ajo picados finos
1 guindilla grande despepitada y picada

1 pimiento rojo cortado en tiras finas
3 cebolletas cortadas en aros
2 cucharadas de mermelada de pimiento

1 cucharada de salsa de pescado
1 puñadito de albahaca tailandesa fresca
Arroz cocido para servir (receta 02)

1 2

3 4

1	Saltear el pollo en el wok con el aceite caliente hasta que se dore.	2	Añadir el ajo, la guindilla y el pimiento. Cocer a fuego fuerte hasta que el pimiento quede tierno.
3	Incorporar las cebolletas, la mermelada de pimiento y la salsa de pescado. Remover a menudo hasta que la salsa se espese.	4	Apartar el wok del fuego para añadir la albahaca. Servir enseguida con arroz.

POLLO CON HIERBA LIMÓN

PARA 4 PERSONAS • PREPARACIÓN: 15 MINUTOS • COCCIÓN: 25 MINUTOS

5 tallos de hierba limón picados
2 guindillas grandes despepitadas y picadas
2 cucharadas de aceite vegetal
750 g de pechuga de pollo cortada en dados
1 cucharada de azúcar de palma rallado
3 cucharadas de salsa de pescado
Arroz cocido para servir (receta 02)

1 2

3 4

1	Machacar la hierba limón y las guindillas en un mortero. También se pueden triturar en la picadora para obtener una masa homogénea.	2	Rehogar esta mezcla 3 minutos en el wok con el aceite caliente para que se desprendan los aromas.
3	Añadir el pollo troceado y rehogarlo 5 minutos. Incorporar el azúcar y la salsa de pescado.	4	Cocer unos minutos más para que la salsa se caramelice ligeramente. Servir enseguida con arroz.

POLLO CON ANACARDOS

PARA 4 PERSONAS • MARINADO: 30 MINUTOS • PREPARACIÓN: 15 MINUTOS • COCCIÓN: 15 MINUTOS

2 cucharadas de fécula de maíz
500 g de pechuga de pollo fileteada
2 cucharadas de vino de arroz de Shaoxing

2 cucharadas de salsa de ostras
1 cucharada de aceite vegetal
1 cebolla cortada fina
2 dientes de ajo picados finos

1 zanahoria en rodajas finas
200 g de tirabeques
200 g de anacardos tostados
Arroz cocido para servir (receta 02)

42

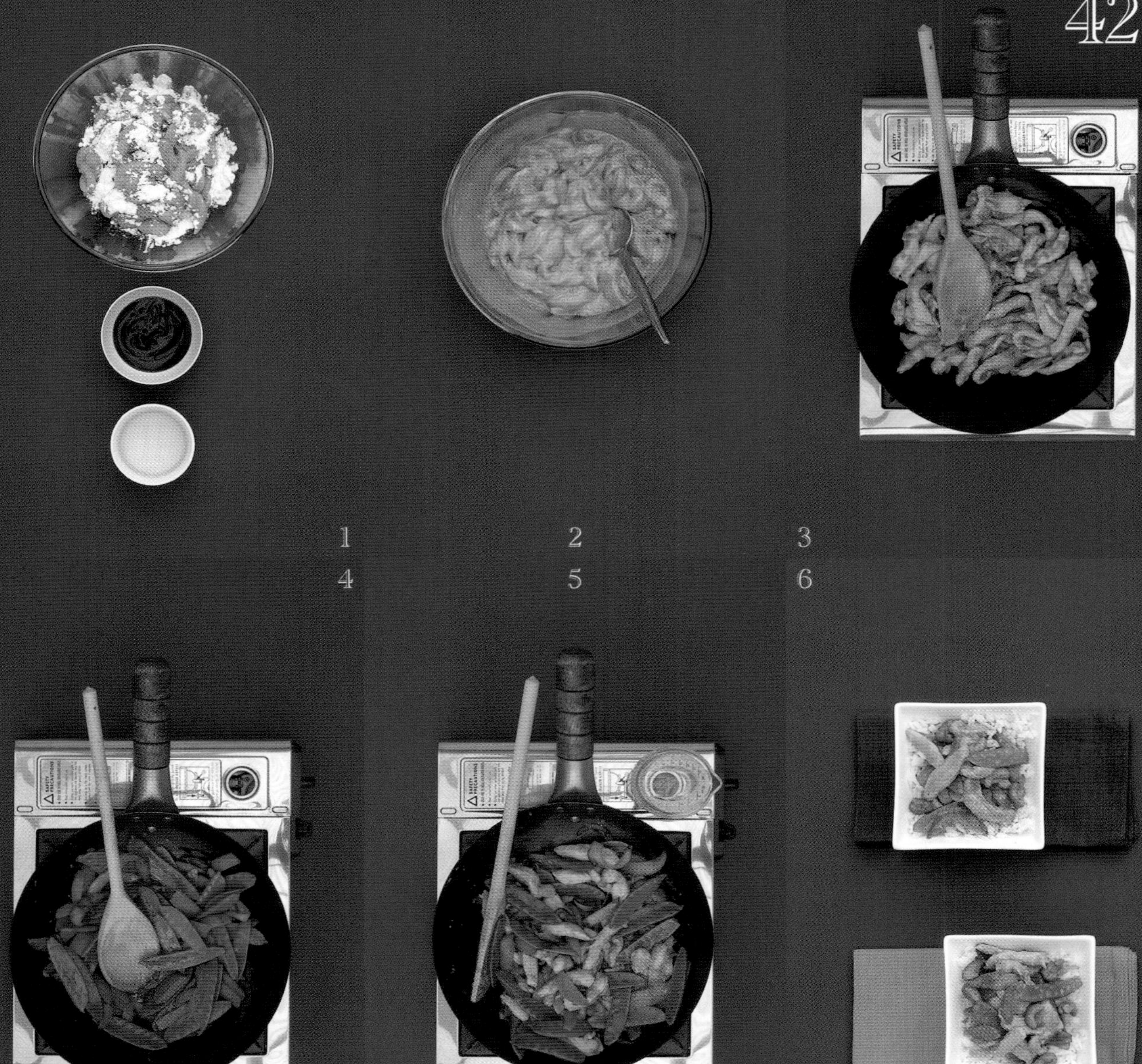

1	Mezclar la fécula de maíz, el pollo, el vino de arroz y la salsa de ostras.	2	Remover bien que el pollo se cubra de salsa y marinar 30 minutos.	3	Escurrir el pollo y dorarlo en un wok. Reservarlo en caliente.
4	En el mismo wok, rehogar la cebolla y el ajo 3 minutos, luego añadir las verduras y cocer a fuego vivo.	5	Volver a poner el pollo en el wok con 125 ml de agua. Espesar la salsa a fuego vivo removiendo a menudo.	6	Incorporar por último los anacardos, mezclar y servir enseguida con arroz.

POLLO TERIYAKI

PARA 4 PERSONAS • PREPARACIÓN: 5 MINUTOS • COCCIÓN: 25 MINUTOS

8 muslos de pollo
2 cucharadas de aceite vegetal
100 ml de sake
100 ml de mirin
100 ml de salsa de soja oscura
2 cucharaditas de azúcar glas
Arroz (receta 02) y verduras al vapor para servir

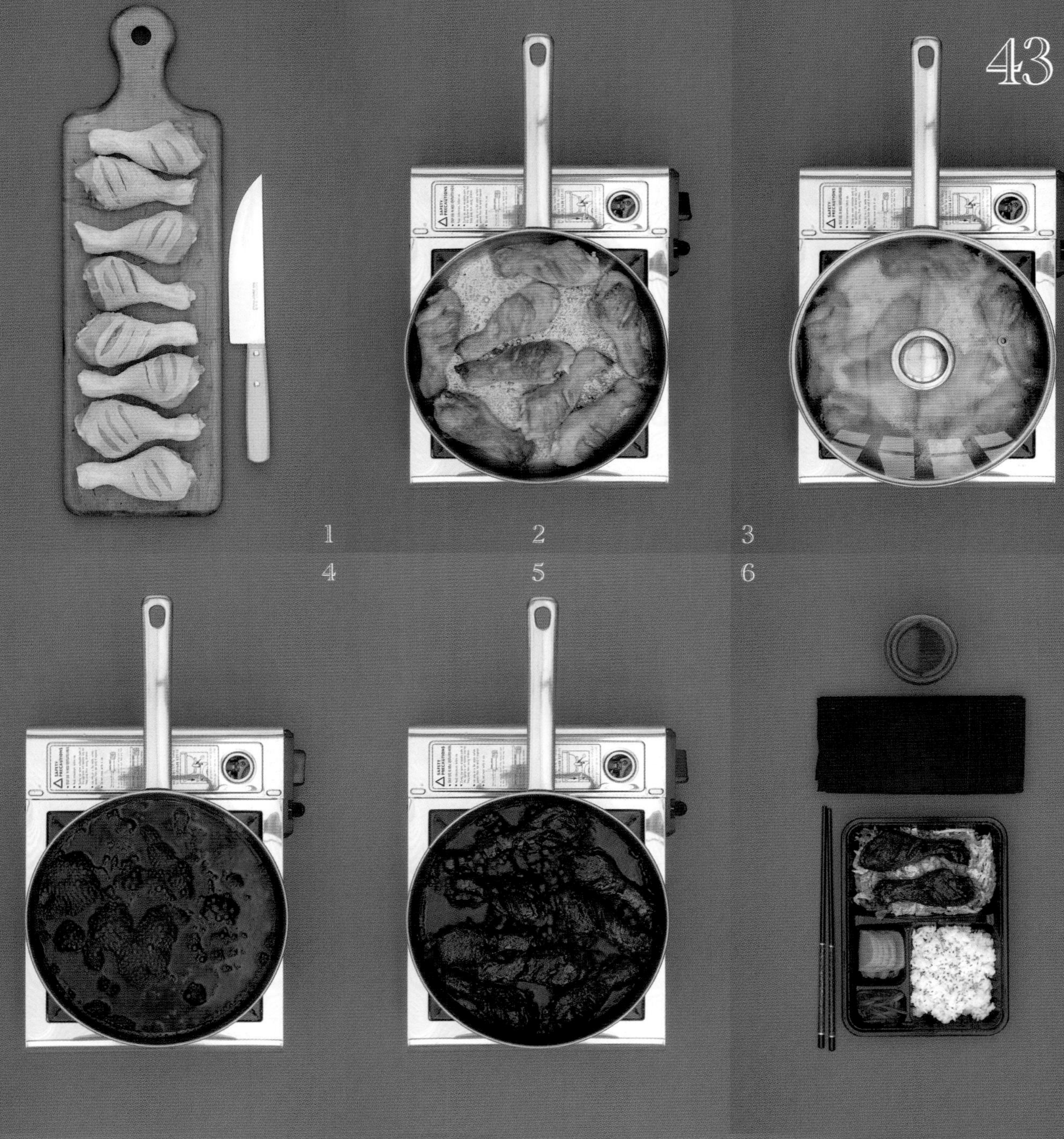

1	Hacer cortes en los muslos para que se cuezan bien por dentro.	2	Dorar los muslos 10 minutos en la sartén con el aceite caliente.	3	Tapar y cocer 10 minutos más. Sacar los muslos de la sartén.
4	Agregar el sake, el mirin, la salsa de soja y el azúcar. Reducir esta salsa.	5	Volver a poner el pollo en la sartén y caramelizarlo en la salsa.	6	Servir el pollo con las verduras y el arroz. Presentar la salsa aparte.

44

ENSALADA VIETNAMITA

PARA 4 PERSONAS • MARINADO: 30 MINUTOS • PREPARACIÓN: 15 MINUTOS • COCCIÓN: 20 MINUTOS

125 ml de vinagre de arroz
2 cucharadas de azúcar glas
1 cebolla roja picada
2 pechugas de pollo
250 g de col china cortada fina
1 zanahoria cortada en juliana
20 g de menta vietnamita fresca
50 g de chalotes fritos

1

2

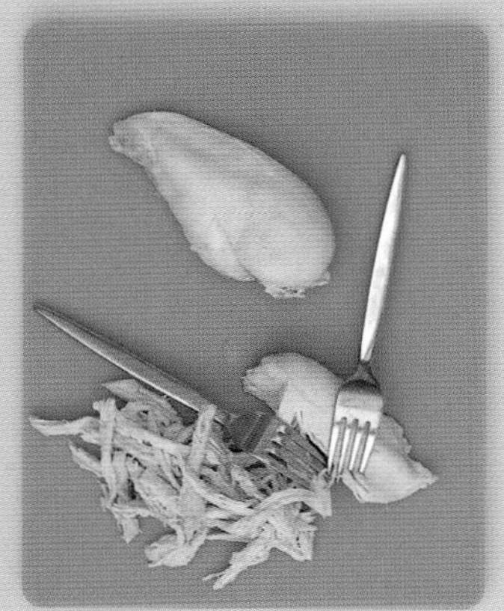

3

4

5

6

1	Disolver el azúcar en el vinagre, añadir la cebolla y salpimentar. Dejar reposar 30 minutos.	2	Poner las pechugas de pollo en una cacerola, cubrirlas de agua y pocharlas 20 minutos a fuego lento.	3	Sacarlas del agua, dejar que se enfríen y deshacerlas en tiras finas con dos tenedores.
4	Mezclar el pollo con la col, la zanahoria y la menta.	5	Aliñar con la salsa de cebolla y remover con cuidado.	6	Aderezar con chalotes fritos y servir enseguida.

POLLO YAKITORI

PARA 4 PERSONAS • REMOJO: 15 MINUTOS • PREPARACIÓN: 20 MINUTOS • COCCIÓN: 20 MINUTOS

1 kg de muslos de pollo troceados
8 cebolletas
Pinchitos de bambú para brochetas

SALSA
100 ml de sake
125 ml de salsa de soja clara
3 cucharadas de mirin
2 cucharadas de azúcar glas

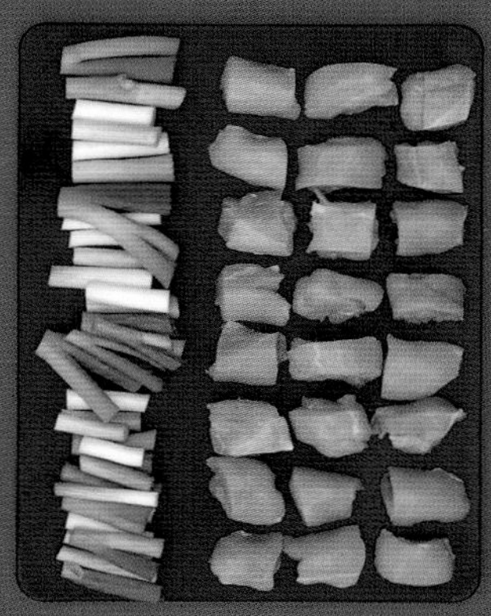

1 2 3

4 5 6

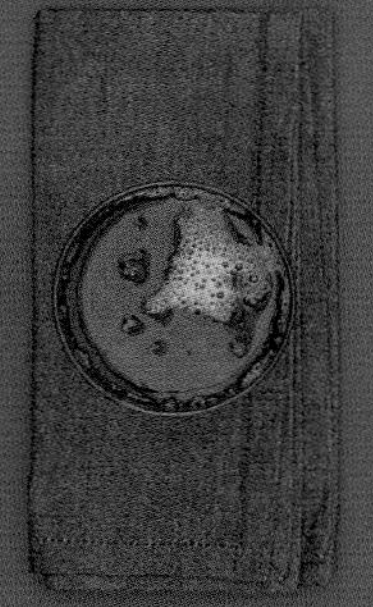

1	Poner a remojar los pinchitos 15 minutos en agua fría.	2	Llevar a ebullición los ingredientes de la salsa y dejar reducir 5 minutos	3	Cortar el pollo en dados y las cebolletas en trozos de 5 cm.
4	Ensartar los trozos de pollo y de cebolleta en las brochetas.	5	Asar las brochetas en una parrilla untándolas varias veces con la salsa durante la cocción.	6	Servir las brochetas con la salsa restante.

PATO AL ESTILO PEQUINÉS

PARA 4-6 PERSONAS • PREPARACIÓN: 15 MINUTOS • COCCIÓN: 5 MINUTOS

6 cebolletas
1 pato laqueado
12 crepes chinas (mejor a la cebolleta)
125 ml de salsa hoisin
½ pepino cortado en bastoncitos

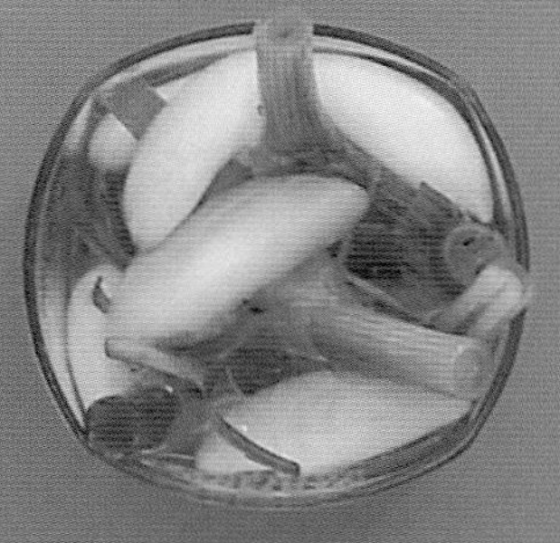

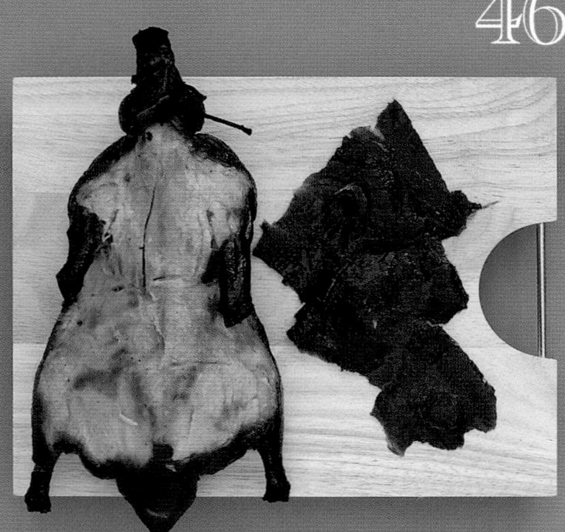

1 2

3 4

1	Cortar el extremo superior de las cebollas en lengüetas finas sin llegar hasta la base. Ponerlas a remojar en agua con hielo.	2	Con un cuchillo afilado, quitarle la piel al pato. También se puede trocear la carne en láminas finas.	
3	Poner las crepes en una cesta de bambú y calentarlas al vapor encima de una cacerola con agua a fuego lento.	4	Presentar las crepes en una bandeja para que cada invitado se sirva. Poner antes un poco de salsa hoisin en el centro.	➢

5	A continuación, poner la piel crujiente o la carne en la crepe, antes de añadir el pepino y la cebolleta.	**TRUCO** Para servir el pato crujiente, hay que recalentarlo en el horno a 220 °C (termostato 7-8) durante 20 minutos.
TRUCO Es fácil encontrar patos laqueados enteros en las tiendas de comestibles asiáticas. Los restaurantes chinos también los preparan para llevar.		**SUGERENCIA** Tradicionalmente, en esta receta solo se utiliza la piel del pato, pero ahora son cada vez más los restaurantes que sirven también la carne.

6	Enrollar la crepe y degustarla enseguida. (Rellenar las crepes una a una para servirlas calientes.)	**TRUCO** Si sobra carne, se puede preparar con ella un sung choi bau (receta 20).
TRUCO Calentar las crepes por tandas en el último momento para servirlas bien calientes.		**TRUCO** Los huesos del pato se pueden utilizar para preparar un caldo, idóneo para aromatizar una sopa o un risotto.

47

ALAS DE POLLO MARINADAS

PARA 6 PERSONAS • MARINADO: 4-8 HORAS • PREPARACIÓN: 20 MINUTOS • COCCIÓN: 40 MINUTOS

1 kg de alas de pollo
1 cucharadita de aceite de sésamo
2 cucharadas de salsa de pimiento rojo.

3 cucharadas de salsa de soja
2 cucharadas de kecap manis
1 cucharada de zumo de limón

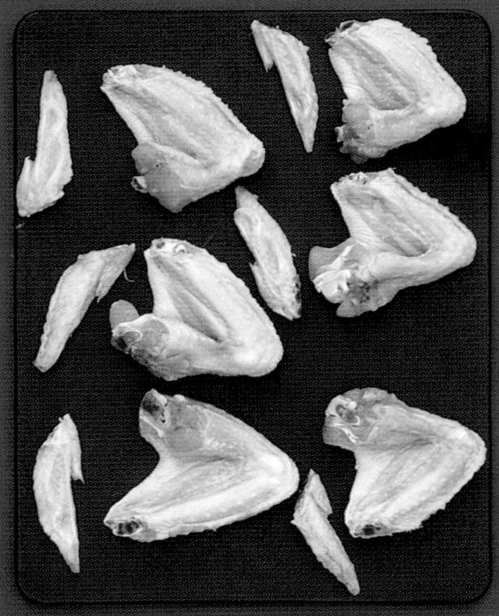

1 2
3 4

1	Cortar las puntas de las alas con un hacha de cocina y tirarlas.	2	Con el mismo cuchillo, partir las alas en dos a la altura de la articulación.
3	En una ensaladera, poner el aceite de sésamo, la salsa de pimiento, la salsa de soja y el kecap manis. Mezclar bien.	4	Añadir el pollo y remover. Tapar y dejarlo marinar entre 4 y 8 horas en la nevera. ➢

5	Precalentar el horno a 220 °C (termostato 7-8). Poner las alas de pollo en una bandeja grande y hornearlas 40 minutos. Habrá que voltearlas y untarlas varias veces con la marinada.	**VARIANTE** Esta receta también se puede preparar con muslos de pollo. Habrá que aumentar el tiempo de cocción porque los trozos son más grandes.

6

Sacarlas del horno cuando estén bien cocidas y ligeramente caramelizadas.

SUGERENCIA

Estas alas de pollo caramelizadas se pueden degustar frías en un picnic o un almuerzo improvisado y rápido.

48

PATO EMPANADO CON ESPECIAS

PARA 4 PERSONAS • PREPARACIÓN: 15 MINUTOS • COCCIÓN: 30 MINUTOS

4 magrets de pato con su piel
2 cucharadas de harina
½ cucharadita de polvo de cinco especias
½ cucharadita de pimentón

1 cucharadita de sal fina
Aceite de cacahuete para la cocción
3 cebolletas troceadas
Verduras al vapor para servir

SALSA DE CIRUELAS

250 ml de salsa de ciruelas
1-2 cucharadas de vinagre de arroz

1 2

3 4

1	Poner los magrets en un plato, con la piel hacia arriba, y pincharlos en varios sitios con un palillo.	2	Colocar el plato en una cesta de vapor, tapar y cocer la carne entre 10 y 15 minutos sobre una cacerola con agua a fuego lento.	
3	Escurrir los magrets sobre una rejilla y dejar enfriar un poco para poder manipularlos sin quemarse.	4	En un plato hondo mezclar bien la harina, el polvo de cinco especias, el pimentón y la sal.	➢

5	Enharinar los trozos de magret en esta mezcla por ambos lados.	6	Sacudirlos un poco para quitar la harina sobrante.
7	Calentar el aceite en una cacerola y freír el pato 3 minutos por cada lado para que quede crujiente. Cortarlo en filetes.	8	Calentar la salsa de ciruelas con el vinagre hasta que rompa a hervir.

9 Distribuir los filetes en platos, cubrir con la salsa, aderezar con la cebolleta y servir con las verduras al vapor.

TRUCO

Esta receta se puede preparar con rodajas de salmón. Habrá que procurar quitar todas las espinas.

VARIANTE

Esta receta también queda muy bien con una salsa agridulce. Habrá que calentar la salsa rápidamente antes de servir.

49

NASI GORENG

PARA 4 PERSONAS • PREPARACIÓN: 20 MINUTOS • COCCIÓN: 10 MINUTOS

1 cucharada de aceite de cacahuete
1 cucharadita de salsa sambal oelek
2 dientes de ajo machacados
250 g de pollo cortado en dados pequeños
250 g de gambas crudas peladas
3 cebolletas troceadas
750 g de arroz cocido muy frío (receta 02)
1 cucharada de kecap manis
1 cucharada de salsa de soja
4 huevos
2 tomates cortados en rodajas finas
½ pepino cortado en rodajas

1 2

3 4

1	Verter el aceite en un wok caliente, añadir el sambal oelek, el pollo y las gambas. Dorar la carne a fuego fuerte.	2	Añadir las cebolletas, los dientes de ajo y el arroz. Cocer 5 minutos más para que el arroz se caliente bien.
3	Mezclar las salsas y verterlas en el wok. Remover. Sacar el nasi goreng del wok para freír ahí los huevos uno a uno.	4	Presentar el arroz en forma de cúpula en los platos, cubrir con un huevo frito y aderezar con tomate y pepino.

PRODUCTOS DEL MAR

EN UN MINUTO

ELEMENTALES

CON ARROZ O FIDEOS

SUSHI

CHIPIRONES CON PIMIENTO ROJO

PARA 4 PERSONAS • PREPARACIÓN: 20 MINUTOS • COCCIÓN: 10 MINUTOS

500 g de chipirones limpios
1 cucharada de aceite vegetal
3 cucharadas de salsa de pimiento rojo

1 cucharada de salsa de pescado
1 cucharada de zumo de lima
150 g de mezcla de lechugas

50 g de brotes de soja
1 pepino en rodajas finas

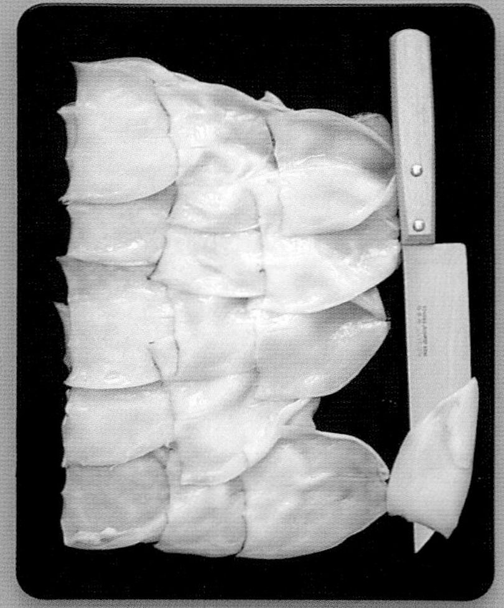

1 2

3 4

1	Cortar en dos los chipirones (sin las patas) y extenderlos en una tabla.	2	Con la punta de un cuchillo, hacerles ligeras incisiones en una dirección, en diagonal, sin desgarrar la carne.	
3	Imprimirles leves cortes en la otra dirección. Luego cortar los chipirones en trocitos.	4	Cocer los chipirones a fuego fuerte en el wok, con el aceite apenas humeante, hasta que se contraigan.	➢

50

5 Mezclar las dos salsas y el zumo de lima. Verter en el wok y dejar espesar ligeramente el jugo de la cocción.

VARIANTE

Sustituir los chipirones por langostinos crudos.

VARIANTE

Esta receta se puede preparar también con calamares, cuya carne es un poco más dura.

SUGERENCIA

Estos chipirones se pueden servir calientes, con tirabeques y espárragos recién salteados en el wok.

6	Repartir la lechuga en platos, añadir el pepino y los brotes de soja y, por último, los chipirones.	**TRUCO** ❊ Para ahorrar tiempo, cortar los chipirones en anillas.

SUGERENCIA	**SUGERENCIA**
Marinar los chipirones en la salsa (duplicar la cantidad de ingredientes) para asarlos a la barbacoa.	Esta receta es perfecta para un bufé chino. Se presentarán los chipirones en pequeños cuencos o en cajitas de cartón.

51

OSTRAS AL ESTILO CHINO

PARA 24 OSTRAS • PREPARACIÓN: 15 MINUTOS • COCCIÓN: 2 MINUTOS

2 salchichas chinas (lap cheong)
24 ostras (abrirlas en el último momento)
1 cucharada de salsa Worcestershire
1 cucharada de azúcar de palma rallado
1 cucharada de salsa de pescado
1 cucharada de zumo de lima
1 guindilla grande despepitada y picada

1 2
3 4

1	Con un cuchillo afilado, picar las salchichas chinas lo más finamente posible.	2	Abrir las ostras. Poner 12 en una tabla y 12 en una bandeja de horno. Aderezar estas últimas con salsa Worcestershire y salchichas chinas.	
3	En un cuenco, batir juntos el azúcar, la salsa de pescado, el zumo de lima y la guindilla.	4	Repartir esta salsa sobre las ostras que se vayan a servir frías (en la tabla).	➢

5	Pasar las demás ostras 2 minutos por el gratinador del horno precalentado. La salchicha debe quedar ligeramente crujiente.

VARIANTE

Se pueden sustituir las salchichas chinas por finas lonchas de beicon troceadas.

SUGERENCIA

Esta receta también sirve para preparar mejillones grandes. Otra posibilidad es servir una combinación de ostras y mejillones.

6 Servir las ostras calientes nada más sacarlas del horno, con las ostras frías.

VARIANTE

Cocer las ostras al vapor, sin aderezarlas. Presentar el aliño aparte.

VARIANTE

El aliño de las ostras frías también puede hacerse con aceite sazonado con guindilla, salsa de soja clara, cebolletas troceadas y jengibre fresco rallado.

MEJILLONES CON HIERBA LIMÓN

PARA 4 PERSONAS • PREPARACIÓN: 15 MINUTOS • COCCIÓN: 10 MINUTOS

1 kg de mejillones
2 cucharadas de aceite vegetal
3 tallos de hierba limón troceados
2 cucharadas de jengibre fresco rallado
125 ml de caldo de pescado
1 cucharada de salsa de pescado
1 guindilla despepitada y picada
15 g de cilantro fresco
3 cebolletas troceadas
2 cucharadas de zumo de lima

1 2 3

4 5 6

1	Limpiar los mejillones (quitar el biso) y tirar los que queden abiertos.	2	Calentar el aceite en un wok para rehogar la hierba limón y el jengibre.	3	Al cabo de 2 minutos, añadir los mejillones. Remover bien.
4	Mezclar el caldo y la salsa de pescado. Verter sobre los mejillones.	5	Tapar y subir el fuego para que se abran los mejillones; tirar los que queden cerrados.	6	Repartir los mejillones en cuencos. Aderezarlos con el resto de ingredientes.

53

CHIPIRONES SALPIMENTADOS

PARA 4-6 PERSONAS • PREPARACIÓN: 30 MINUTOS • COCCIÓN: 10 MINUTOS

1 kg de chipirones
4 cucharadas de sal
3 cucharadas de granos de pimienta blanca
2 cucharaditas de azúcar glas

125 g de fécula de maíz
125 g de harina
4 claras de huevo ligeramente batidas
Aceite de cacahuete para freír

PARA SERVIR
Gajos de limón
Salsa de soja (optativo)

1 2 3
4 5 6

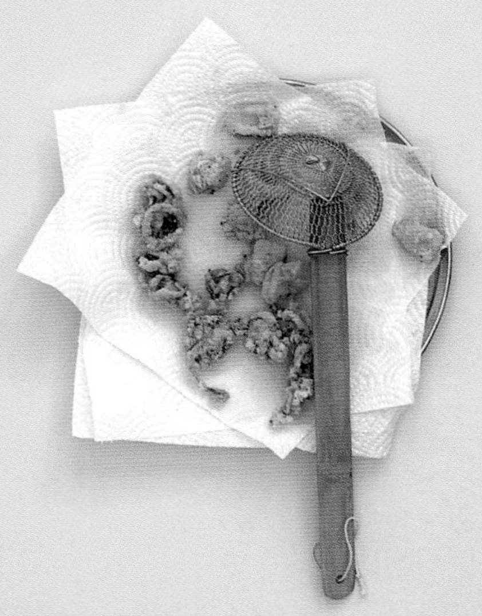

1	Limpiar los chipirones. Cortar los cuerpos en anillas y los tentáculos en dos.	2	Machacar en un mortero la sal, los granos de pimienta y el azúcar hasta obtener un polvo fino.	3	Poner en un cuenco y mezclar bien con la fécula de maíz y la harina.
4	Sumergir los chipirones en las claras de huevo antes de pasarlos por la harina.	5	Freírlos 2 minutos en el wok, en aceite abundante y muy caliente.	6	Servirlos enseguida con los gajos de limón y la salsa de soja.

CURRY DE MARISCO

PARA 4 PERSONAS • PREPARACIÓN: 10 MINUTOS • COCCIÓN: 25 MINUTOS

1 brote de bambú entero (120 g) en lata
500 g de gambas grandes crudas
250 g de pescado blanco
200 g de vieiras frescas
2 cucharadas de aceite vegetal
2-3 cucharadas de pasta de curry tailandés rojo
2 cucharaditas de pasta de gambas
500 ml de leche de coco
1 cucharada de salsa de pescado
1 cucharada de azúcar de palma rallado
4 hojas de lima kaffir picadas
200 g de judías verdes despuntadas
Arroz jazmín al vapor para servir (receta 02)

1 2

3 4

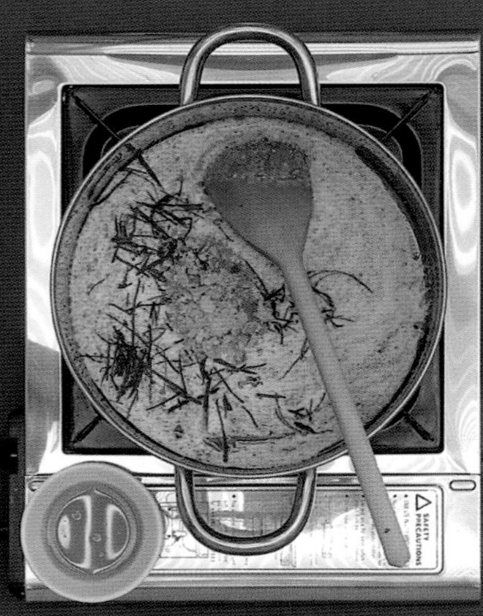

1	Enjuagar el brote de bambú y escurrirlo bien. Cortarlo en bastoncitos finos.	2	Pelar las gambas. Cortar los filetes de pescado en dados pequeños. Secar las vieiras con papel absorbente.	
3	Rehogar la pasta de curry y la pasta de gambas en una cacerola con el aceite caliente. Mezclar bien a fuego fuerte. El aceite acabará desligándose de la pasta de curry.	4	A continuación agregar la leche de coco y la salsa de pescado. Añadir el azúcar y las hojas de lima kaffir, llevar a ebullición y dejar reducir a fuego lento 10 minutos.	➢

5

Añadir el bambú y las judías verdes. Cocer 5 minutos. Poner luego las gambas, las vieiras y el pescado en la cacerola. Cocer unos 5 minutos.

VARIANTE

Esta receta se puede preparar también con un único pescado o marisco.

TRUCO

Si se prepara el curry con antelación, habrá que cocer la salsa y las verduras primero y añadir el pescado y el marisco antes de servir.

6	Comprobar que el pescado y el marisco están cocidos al punto (no deben cocerse demasiado para evitar que queden secos). Servir enseguida con el arroz jazmín.	**VARIANTE** Se pueden utilizar brotes de bambú ya troceados. **TRUCO** No todas las pastas de curry comerciales son igual de picantes. Es preferible poner una cantidad menor a la indicada y después añadir un poco si es necesario.

55

PESCADO CON JENGIBRE

PARA 4 PERSONAS • PREPARACIÓN: 10 MINUTOS • COCCIÓN: 20 MINUTOS

10 cm de jengibre fresco
4 filetes (750 g) de pescado blanco (lubina, bacalao fresco…)
3 cucharadas de vino de arroz de Shaoxing

3 cucharadas de salsa de soja clara
1 cucharada de azúcar glas
2 cucharadas de aceite de cacahuete
1 cucharadita de aceite de sésamo

2 cebolletas troceadas
Unos tallos de cilantro

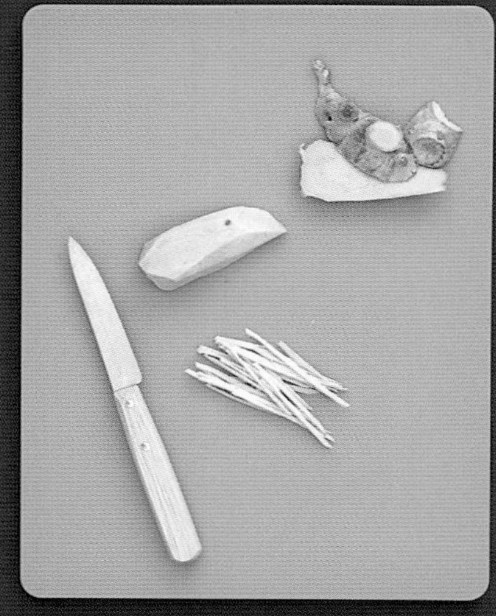

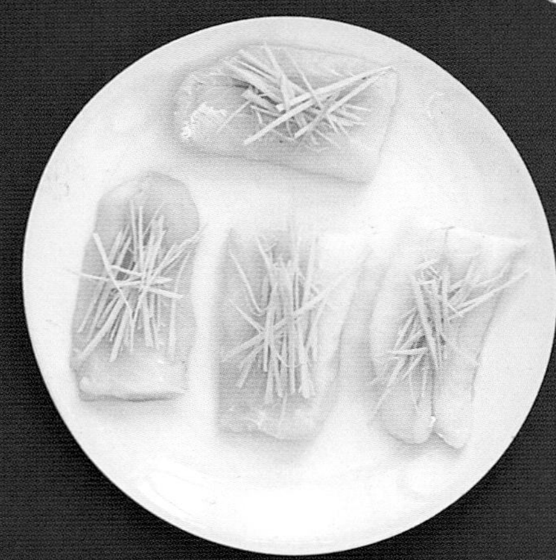

1 2

3 4

1	Pelar el jengibre y cortarlo en bastoncitos finos.	2	Poner los filetes de pescado en un plato y aderezarlos con el jengibre.	
3	Batir en un cuenco el vino de arroz, la salsa de soja y el azúcar. Verter esta mezcla sobre el pescado.	4	Calentar los dos aceites en el wok. Cuando empiecen a humear, verterlos sobre los filetes de pescado.	➢

55

5	Colocar el plato en una cesta grande de bambú. Tapar y cocer 15 minutos encima de una cacerola con agua a punto de hervor.	**TRUCO** Para que el plato sea más ligero, prescindir del aceite y de la salsa del vino de arroz.

VARIANTE	**SUGERENCIA**
Preparar esta receta con langostinos crudos o vieiras.	Se pueden cocer las verduras al mismo tiempo que el pescado en una cesta de vapor colocada encima.

6 Repartir el pescado en los platos y aderezar con cebolleta y cilantro. Servir con verduras al vapor (en este caso bok choy).

VARIANTE

Esta receta se puede preparar también con pechugas de pollo (sin piel).

TRUCO

Para hacer este plato hace falta una cesta de cocción al vapor grande. En su defecto, se cocerá el pescado en varias tandas utilizando platos pequeños.

VIEIRAS CON TIRABEQUES

PARA 4 PERSONAS • PREPARACIÓN: 10 MINUTOS • COCCIÓN: 10 MINUTOS

1 cucharada de aceite vegetal
2 dientes de ajo picados muy finos
1 cucharada de jengibre fresco rallado
2 cebolletas troceadas

300 g de vieiras frescas
200 g de tirabeques
2 cucharadas de vino de arroz de Shaoxing
1 cucharada de salsa de soja clara

1 cucharadita de azúcar
3 cucharadas de caldo de ave
Arroz cocido para servir (receta 02)

1 2

3 4

1	Rehogar 2 minutos en el wok con el aceite muy caliente el ajo, el jengibre y las cebolletas.	2	Añadir las vieiras y los tirabeques. Saltear 3 minutos para que las vieiras se tornen opacas.
3	Mezclar el vino de arroz, la salsa de soja, el azúcar y el caldo. Verter en el wok y cocer a fuego fuerte para que se espese la salsa.	4	Servir enseguida las vieiras con el arroz.

57

MARMITA CHINA DE SALMÓN

PARA 4 PERSONAS • PREPARACIÓN: 10 MINUTOS • COCCIÓN: 20 MINUTOS

1 cucharada de aceite vegetal
2 filetes de salmón de 200 g cada uno (con piel)
4 cucharadas de azúcar moreno
4 cucharadas de salsa de pescado
2 cebolletas en rodajas
Arroz cocido para servir (receta 02)

1 2
3 4

1	Calentar bien el aceite en una sartén y añadir el salmón con su piel. Cuando la piel esté crujiente, poner el salmón en una cazuela de barro.	2	Verter el azúcar y la salsa de pescado en la sartén. Espesar la mezcla a fuego lento removiendo hasta disolver el azúcar.
3	Verter el almíbar obtenido sobre el salmón, tapar y hervir a fuego lento 15 minutos para que el salmón se cueza al punto.	4	Aderezar con cebolleta y servir enseguida con el arroz cocido.

PESCADO CON MISO

PARA 4 PERSONAS • REMOJO: 10 MINUTOS • PREPARACIÓN: 10 MINUTOS • COCCIÓN: 20 MINUTOS

4 setas chinas secas
200 g de fideos soba
30 g de mantequilla
2 cucharadas de sake

2 cucharadas de mirin
1 cucharada de salsa de soja
1 cucharada de azúcar glas
3 cucharadas de miso amarillo

4 filetes de pescado blanco sin espinas (lubina o bacalao fresco)
2 cebolletas troceadas
Arroz cocido para servir (receta 02)

1 2

3 4

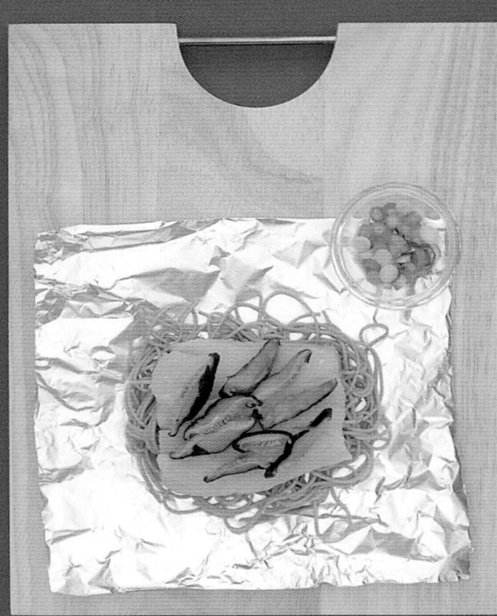

1	Precalentar el horno a 220 °C (termostato 7-8). Remojar las setas 10 minutos en agua muy caliente, escurrirlas y trocearlas.	2	Cocer los fideos en agua hirviendo. Cuando estén blandos, escurrirlos y lavarlos con agua abundante.	
3	En una cacerola, llevar a ebullición la mantequilla, el sake, el mirin, la salsa de soja y el azúcar. Apartar del fuego para añadir el miso.	4	Repartir los fideos y los filetes de pescado en 4 cuadrados de papel de aluminio. Añadir las cebolletas y las setas.	➢

5	Verter la salsa sobre los filetes de pescado y cerrar herméticamente estos papillotes. Colocarlos en una bandeja de horno y asarlos 15 minutos al horno.	**VARIANTE** Esta receta se puede preparar también con pechugas de pollo (sin la piel) o tofu. **TRUCO** Una vez escurridas del todo las setas, retirar el pie cortándolo por donde está pegado al sombrero, porque es fibroso y está duro.

6	Abrir los papillotes. Servir el pescado en el papel de aluminio, con el arroz cocido.	**TRUCO** Los papillotes se pueden cocer en una barbacoa cerrada o con el gratinador del horno. **VARIANTE** Esta receta también queda muy bien con fideos udon o hokkien.

59

FIDEOS CON MARISCO

PARA 4 PERSONAS • PREPARACIÓN: 15 MINUTOS • COCCIÓN: 15 MINUTOS

300 g de chipirones limpios
300 g de langostinos crudos
12 vieiras
1 cucharada de aceite vegetal
1 cucharadita de aceite de sésamo

3 cebolletas troceadas
1 cucharada de jengibre fresco rallado
1 pimiento rojo cortado en tiras finas
400 g de fideos hokkien frescos

2 cucharadas de salsa de ostras
2 cucharadas de salsa de soja
2 cucharadas de kecap manis
1 bok choy troceada

1 2

3 4

1	Cortar los cuerpos de los chipirones en anillas y los tentáculos en dos. Pelar los langostinos. Secar las vieiras con papel absorbente.	2	Rehogar 3 minutos en el wok con el aceite muy caliente las cebolletas, el jengibre y el pimiento. Añadir los mariscos y cocerlos también 3 minutos a fuego fuerte.
3	Añadir los fideos y las tres salsas, remover e incorporar la bok choy.	4	Cocer hasta que la salsa esté espesa y la bok choyse haya pochado. Servir enseguida.

ARROZ SALTEADO CON GAMBAS

PARA 4 PERSONAS • PREPARACIÓN: 15 MINUTOS • COCCIÓN: 15 MINUTOS

500 g de gambas crudas
3 cucharadas de aceite vegetal
3 huevos ligeramente batidos

2 salchichas chinas (lap cheong) o 2 lonchas de beicon troceadas muy finas
1 cucharada de jengibre fresco rallado
740 g de arroz cocido enfriado

2 cucharadas de vino de arroz de Shaoxing
2 cucharadas de salsa de soja
3 cebolletas troceadas

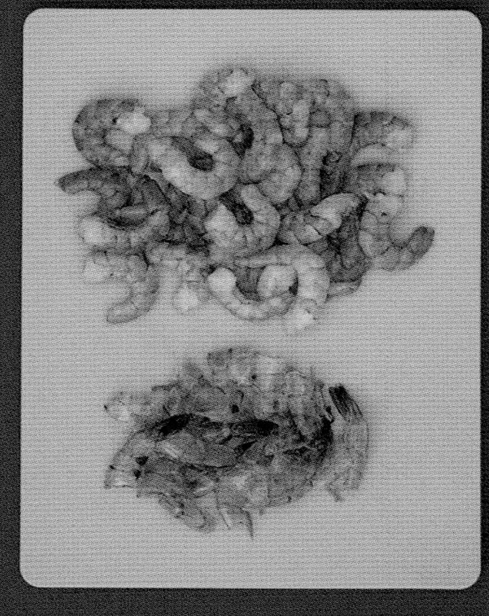

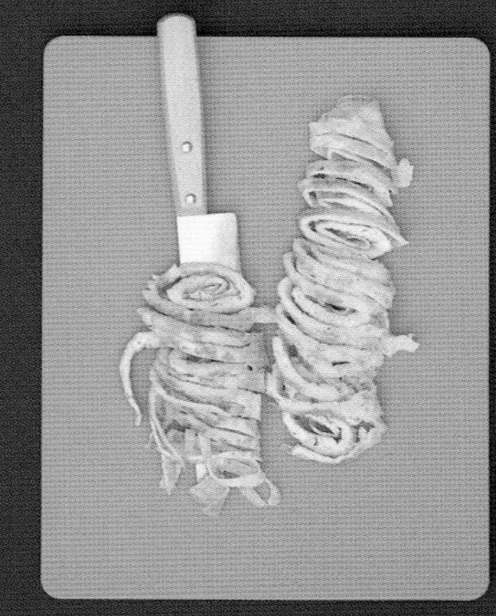

1 2 3

4 5 6

1	Pelar las gambas antes de cortarlas en trocitos.	2	Calentar la mitad del aceite en un wok para preparar una tortilla con los huevos.	3	Sacar la tortilla del wok, enrollarla bien prieta y cortarla en tiras finas.
4	Saltear el jengibre, las gambas y las salchichas con el aceite restante.	5	Añadir el arroz, luego el vino y la salsa de soja. Calentar a fuego fuerte.	6	Incorporar por último las cebolletas. Remover y servir enseguida.

61

CHIRASHI SUSHI

PARA 4 PERSONAS • PREPARACIÓN: 20 MINUTOS • COCCIÓN: 20 MINUTOS

1 cucharada de aceite vegetal
2 huevos ligeramente batidos
880 g de arroz para sushi (receta 03)

1 hoja de nori picada
200 g de salmón muy fresco cortado en lonchas finas
200 g de atún muy fresco cortado en lonchas finas

½ pepino cortado en rodajas finas
½ cucharadita de wasabi
100 g de jengibre marinado

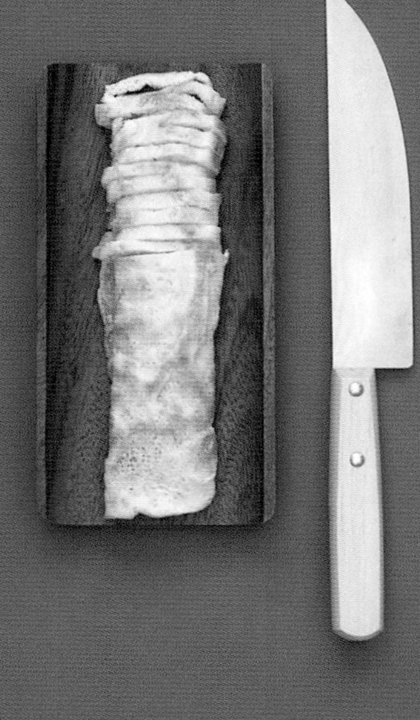

1 2 3

4 5 6

1	Calentar el aceite en una sartén para preparar una tortilla fina con los huevos (cocerla por ambos lados).	2	Enrollar la tortilla bien prieta y cortarla en tiras finas y regulares.	3	Extender el arroz en cuatro platos japoneses cuadrados y aderezarlo con la hoja de nori picada.
4	Colocar las lonchas de salmón y atún sobre el arroz.	5	Añadir el pepino y las tiras de tortilla.	6	Aderezar con una nuez de wasabi y un poco de jengibre. Servir enseguida.

62

TEMAKI SUSHI

PARA 4 PERSONAS • PREPARACIÓN: 15 MINUTOS + COCCIÓN DEL ARROZ

300 g de salmón muy fresco sin la piel
½ pepino
1 aguacate

4 hojas de nori
440 g de arroz para sushi (receta 03)
¼ de cucharadita de wasabi

Un poco de wasabi y de salsa de soja para servir

1 2

3 4

1	Cortar el salmón, el pepino y el aguacate en bastoncitos del mismo tamaño con un cuchillo afilado.	2	Cortar las hojas de nori en dos, y otra vez en dos para obtener cuadrados.
3	Poner un poco de arroz en cada cuadrado de nori. Añadir una raya de wasabi, un trozo de salmón, uno de aguacate y otro de pepino.	4	Enrollar el sushi formando un cucurucho y servir enseguida con la salsa de soja y una pizca de wasabi.

VERDURAS

FRITURAS

CURRYS

CON HUEVO

DE ACOMPAÑAMIENTO

63

TOFU AGEDASHI

PARA 4 PERSONAS • ESCURRIDO: 15 MINUTOS • PREPARACIÓN: 15 MINUTOS • COCCIÓN: 10 MINUTOS

500 g de tofu sólido
Harina
1 cucharadita de dashi en polvo
2 cucharadas de salsa de soja clara
2 cucharadas de mirin
Aceite de cacahuete para la cocción

PARA SERVIR
2 cucharadas de copos de bonito
2 cebolletas troceadas
Arroz cocido (receta 02)

1	Poner el tofu en una tabla, entre dos hojas de papel absorbente. Tapar con otra tabla.	2	Dejar escurrir 15 minutos. Cortar después en rectángulos pequeños y secar con papel absorbente.	3	Enharinar los rectángulos y sacudirlos para quitar la harina sobrante.
4	Hervir durante 5 minutos el dashi, la salsa de soja, el mirin y 500 ml de agua caliente.	5	Freír el tofu en el wok con aceite muy caliente. Escurrir bien.	6	Servir el tofu con un poco de caldo caliente, el bonito, las cebolletas y el arroz.

TEMPURA DE VERDURAS

PARA 4 PERSONAS • PREPARACIÓN: 15 MINUTOS • COCCIÓN: 15 MINUTOS

200 g de boniato cortado en juliana
1 cebolla troceada
1 pimiento rojo cortado en tiras finas
100 g de setas shiitake
100 g de judías verdes despuntadas

Aceite vegetal para la fritura

MASA PARA LA TEMPURA
2 yemas de huevo
250 g de harina

SALSA
Una pizca de dashi en polvo
2 cucharadas de mirin
2 cucharadas de salsa de soja clara

1 2

3 4

1	Para la salsa, mezclar el dashi con el mirin, la salsa de soja y 2 cucharadas de agua caliente. Cuando rompa a hervir, dejar enfriar a temperatura ambiente.	2	Para la masa, batir los huevos con 500 ml de agua muy fría. Verter la harina en una sola vez y batir ligeramente para que queden algunos grumos.	
3	Mezclar en una ensaladera los boniatos, las cebolletas y la mitad de la masa.	4	Sumergir las otras verduras una a una en la masa restante y escurrir bien.	➢

5	Preparar porciones de unos 60 g de la mezcla de boniatos y freírlas en aceite muy caliente hasta que queden crujientes. Escurrir en papel absorbente.	**TRUCO** La masa de la tempura quedará muy ligera si se prepara con agua con gas. **VARIANTE** Hay otras verduras que se prestan a la tempura, como los tirabeques o las mini mazorcas de maíz.

6	Freír las otras verduras del mismo modo, en tandas, y escurrirlas. Servir la tempura en una bandeja grande, con la salsa para mojar.	**TRUCO** Para que el rebozado quede crujiente y dorado, freír las verduras en tandas pequeñas. **SUGERENCIA** Preparar más cantidad de salsa y conservar la que sobre en la nevera para aliñar una ensalada fría de fideos soba.

65

CURRY VERDE DE VERDURAS

PARA 4 PERSONAS • PREPARACIÓN: 15 MINUTOS • COCCIÓN: 30 MINUTOS

1 cucharada de aceite vegetal
2 cucharadas de pasta de curry verde
200 g de tofu sólido en dados
500 ml de leche de coco

4 hojas de lima kaffir picadas
1 pimiento rojo troceado
2 calabacines en rodajas
100 g de mini mazorcas de maíz

200 g de champiñones
1 cucharada de azúcar de palma rallado
1 cucharada de zumo de lima
Arroz cocido para servir (receta 02)

1 2

3 4

1	Calentar el aceite en una cacerola y añadir la pasta de curry. Remover hasta que la mezcla se desligue.	2	Agregar el tofu y dejar que se dore. Mientras, preparar los champiñones: quitar los pies y cortar los sombreros en dos.
3	Verter la leche de coco sobre el tofu, luego añadir las verduras y las hojas de lima kaffir. Hervir a fuego lento 20 minutos.	4	Incorporar el azúcar de palma y el zumo de lima. Servir enseguida con el arroz cocido.

CURRY DE CALABAZA

PARA 4 PERSONAS • PREPARACIÓN: 15 MINUTOS • COCCIÓN: 30 MINUTOS

1 cucharada de aceite vegetal
2 cucharadas de pasta satay
2 cucharadas de jengibre fresco rallado
500 g de calabaza cortada en dados grandes
200 g de tofu sólido escurrido y cortado en dados
200 g de tomates cherry
500 ml de crema de coco
100 g de hojas tiernas de espinacas
1 ramillete de cilantro
Arroz cocido para servir (receta 02)

1 2

3 4

1	Rehogar la pasta satay y el jengibre en el aceite caliente durante 3 minutos a fuego medio. La mezcla tiene que desligarse.	2	Añadir los trozos de calabaza, remover bien para que se cubran de salsa y dejar que se ablanden un poco.
3	Agregar el tofu, los tomates y la crema de coco. En cuanto rompa a hervir, bajar el fuego y cocer 20 minutos más.	4	Cuando la calabaza esté blanda, añadir las espinacas y el cilantro. Remover y servir enseguida con el arroz cocido.

67

TORTILLA CHINA

PARA 2 PERSONAS • PREPARACIÓN: 15 MINUTOS • COCCIÓN: 10 MINUTOS

6 huevos
3 cebolletas troceadas
1 cucharada de salsa de soja clara

2 cucharadas de aceite vegetal
100 g de setas shiitake troceadas
1 tomate troceado

1 bok choy pequeña troceada
50 g de brotes de soja
1 cucharada de kecap manis

1 2

3 4

1	Batir los huevos con las cebolletas y la salsa de soja.	2	Dorar las setas 5 minutos en el wok con la mitad del aceite previamente calentado. Sacarlas del wok.	
3	Calentar el aceite restante y verter los huevos batidos. Inclinar el wok en todas direcciones para repartir la tortilla.	4	Cuando la tortilla esté casi cuajada, añadir las setas, el tomate, la bok choy y los brotes de soja.	➢

5	Doblar la tortilla en dos para que el relleno quede en el centro.	**VARIANTE** Esta tortilla también está buenísima con arroz salteado.

TRUCO	**VARIANTE**
Se pueden preparar tortillas individuales en lugar de una grande.	Para el relleno se pueden usar otras verduras (calabacín, pimientos, maíz) y tofu.

6	Poner la tortilla en una bandeja grande, bañarla con kecap manis y servir enseguida.	**SUGERENCIA** Esta tortilla es perfecta para un *brunch*, un almuerzo ligero o una cena.
VARIANTE Como aliño final, sustituir el kecap manis por salsa de ostras.		**TRUCO** En el paso 3 el aceite debe estar muy caliente para que los huevos queden bien cuajados.

GADO GADO

PARA 4 PERSONAS • PREPARACIÓN: 20 MINUTOS • COCCIÓN: 10 MINUTOS

150 g de col blanca picada
200 g de judías verdes despuntadas
2 zanahorias cortadas en rodajas finas
2 patatas cortadas en rodajas finas
100 g de brotes de soja
2 huevos duros cortados en cuatro
2 cucharadas de chalotes fritos

SALSA DE CACAHUETES

60 ml de aceite de cacahuete
200 g de cacahuetes naturales
2 dientes de ajo picados muy finos
4 chalotes picados muy finos
½ cucharadita de sambal oelek
1 cucharada de kecap manis
1 cucharada de concentrado de tamarindo

1 2

3 4

1	Cocer por separado todas las verduras en agua hirviendo o al vapor.	2	Para la salsa, dorar los cacahuetes en el wok con el aceite caliente. Escurrirlos. Dejar una cucharada sopera de aceite en el wok.	
3	Moler los cacahuetes con una picadora o un mortero. Machacar el ajo y los chalotes hasta obtener una masa homogénea.	4	Recalentar el aceite reservado y rehogar esta masa en el wok hasta que quede dorada.	➢

5

Añadir los cacahuetes, el sambal oelek, el kecap manis y el tamarindo. Agregar 500 ml de agua y cocer esta salsa a fuego medio hasta el punto de ebullición para que espese, removiendo de vez en cuando.

VARIANTE

Esta receta se puede preparar con otras verduras, como tirabeques, boniato y brécol.

SUGERENCIA

Todos los ingredientes del gado gado pueden prepararse previamente. Servir esta ensalada en una fiesta con barbacoa.

6	Servir las verduras y los huevos con la salsa de cacahuetes y los chalotes fritos.	**SUGERENCIA** Esta salsa está deliciosa con tempeh o tofu fritos.

TRUCO	**SUGERENCIA**
Si sobra salsa, guardarla en la nevera dentro de un recipiente hermético y recalentarla para acompañar brochetas de pollo.	Servir el gado gado con chips de yuca (se venden en las tiendas de comestibles exóticos).

VERDURAS MARINADAS

PARA 1 TARRO DE 1 LITRO • PREPARACIÓN: 50 MINUTOS • MARINADO 8 HORAS

2 zanahorias
1 daikon (rábano blanco)
200 g de brotes de soja
1 pepino

1 guindilla
2 cucharadas de sal
250 ml de vinagre de arroz

2 cucharadas de azúcar glas
3 cucharadas de menta fresca
3 cucharadas de menta vietnamita

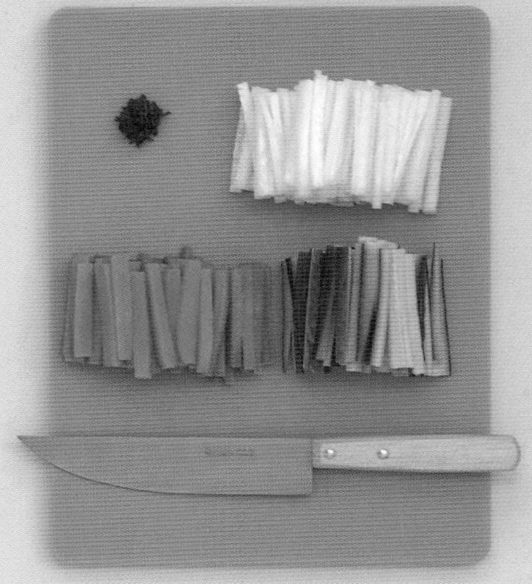

1 2
3 4

1	Pelar las verduras y cortarlas en bastoncitos. Picar la guindilla muy fina.	2	Poner las verduras en una ensaladera de cristal y salpimentarlas.	
3	Purgarlas 30 minutos antes de lavarlas con agua fría. Escurrirlas bien.	4	Meterlas en un tarro de cristal.	➢

5	Batir el azúcar y el vinagre y luego añadir 125 ml de agua. Verter sobre las verduras. Cerrar el tarro.	**TRUCO** Utilizar un tarro esterilizado con una junta de goma para que quede cerrado herméticamente.

TRUCO	VARIANTE
Estas verduras marinadas pueden acompañar casi todas las recetas vietnamitas.	La marinada también queda bien con una mezcla de otras verduras. Estas se pueden cortar dándoles formas decorativas.

6	Dejar marinar toda la noche. Servir con las dos variedades de menta.	**VARIANTE** A falta de menta vietnamita (se vende en tiendas asiáticas), se puede usar menta común.
TRUCO Si se prefieren las mezclas menos picantes, basta con quitar las pepitas de la guindilla.		**TRUCO** Lavarse bien las manos después de despepitar la guindilla para evitar irritaciones en la piel.

TOFU AL VAPOR CON JENGIBRE

PARA 4 PERSONAS • PREPARACIÓN: 10 MINUTOS • COCCIÓN: 10 MINUTOS

500 g de tofu sólido
1 cucharada de jengibre fresco cortado en bastoncitos finos
2 cucharadas de vino de arroz de Shaoxing
2 cucharadas de salsa de soja clara
1 cucharadita de azúcar glas
3 cebolletas troceadas
1 guindilla grande troceada
2 cucharadas de chalotes fritos
½ cucharadita de pimienta blanca molida

70

1 2

3 4

1	Cortar el tofu en cuatro. Ponerlo en un plato llano y aderezarlo con la mitad del jengibre.	2	Mezclar al vino de arroz, la salsa de soja y el azúcar; remover bien para disolver el azúcar. Verter la mitad de esta salsa sobre el tofu.
3	Poner el plato en una cesta de bambú, tapar y cocer 10 minutos al vapor, encima de una cacerola con agua a punto de hervor.	4	Aliñar el tofu con la salsa restante y la pimienta. Poner una guarnición de jengibre, cebolleta y chalotes fritos. Servir enseguida.

FIDEOS CON VERDURAS

PARA 4 PERSONAS • PREPARACIÓN: 15 MINUTOS • COCCIÓN: 10 MINUTOS

250 g de fideos secos al huevo
1 cucharada de aceite vegetal
1 cucharadita de aceite de sésamo
300 g de tofu sólido cortado en bastoncitos
1 pimiento rojo cortado en tiras finas
1 zanahoria cortada en rodajas finas
1 calabacín cortado en rodajas finas
200 g de tirabeques
200 g de ramitas de brécol
3 cucharadas de kecap manis
2 cucharaditas de sambal oelek

1 2

3 4

1	Cocer los fideos en agua hirviendo. Escurrirlos bien.	2	Calentar el aceite a fuego fuerte en un wok para dorar el tofu.
3	Agregar las verduras y saltearlas 3 minutos. Añadir los fideos, luego el kecap manis y el sambal oelek mezclados previamente.	4	Dejar los fideos en el fuego hasta que estén muy calientes. Repartir la mezcla en cuencos y servir enseguida.

ENSALADA VERDE

PARA 4 PERSONAS • REMOJO: 15 MINUTOS • PREPARACIÓN: 15 MINUTOS • COCCIÓN: 15 MINUTOS

10 g de wakame
200 g de judías verdes despuntadas
300 g de hojas tiernas de espinacas

ALIÑO
2 cucharadas de ajonjolí tostado
1 yema de huevo
3 cucharadas de miso blanco
2 cucharadas de sake
½ cucharada de azúcar glas
1 cucharada de mirin

1 2 3

4 5 6

1	Poner a remojar el wakame 15 minutos en agua tibia. Escurrir bien.	2	Cocer las judías y las espinacas al vapor. Lavarlas y cortarlas en dos.	3	Para la salsa, machacar ligeramente el ajonjolí en un mortero.
4	Mezclar la mitad con los ingredientes de la salsa. Reservar el resto para servir.	5	Repartir en platos el wakame, las espinacas y las judías.	6	Aliñar con un poco de salsa y espolvorear con el ajonjolí restante.

73

VERDURAS SALTEADAS

PARA 4 PERSONAS • PREPARACIÓN: 15 MINUTOS • COCCIÓN: 15 MINUTOS

1 cucharada de aceite vegetal
1 cebolla troceada
2 dientes de ajo picados
200 g de espárragos verdes en trozos de 4 cm
200 g de brécol chino en trozos
200 g de tirabeques
300 g de col china picada
3 cucharadas de vino de arroz de Shaoxing
1 cucharada de salsa de soja clara
1 cucharada de fécula de maíz.

1 2

3 4

1	Rehogar la cebolla y el ajo 3 minutos en el wok con aceite muy caliente.	2	Añadir las verduras, saltearlas a fuego fuerte removiendo, agregar un poco de agua y cocerlas hasta que queden tiernas.
3	Diluir la fécula de maíz en el vino de arroz y la salsa de soja.	4	Verter la mezcla sobre las verduras y dejar espesar hasta que rompa a hervir. Servir enseguida.

BOK CHOY AL VAPOR

PARA 4 PERSONAS • PREPARACIÓN: 5 MINUTOS • COCCIÓN: 8 MINUTOS

1 cucharada de ajonjolí
3 bok choy
2 cucharadas de salsa de ostras
1 cucharadita de aceite de sésamo

74

1	Tostar en seco el ajonjolí hasta que se dore ligeramente.	2	Lavar las bok choy y cortarlas en cuatro a lo largo.
3	Ponerlas en una cesta de bambú y cocerlas entre 3 y 5 minutos al vapor, encima de una cacerola con agua a punto de hervor.	4	Cubrir las bok choy con salsa de ostras y aceite de sésamo, espolvorear con ajonjolí y servir enseguida.

POSTRES

FRUTAS

ARROCES CON LECHE

CREMAS

SORBETE DE LICHIS Y SANDÍA

PARA 4-6 PERSONAS • PREPARACIÓN: 20 MINUTOS • COCCIÓN: 2 MINUTOS • CONGELACIÓN: 8 HORAS

575 g de lichis en almíbar
500 g de sandía sin pepitas ni corteza
2 cucharadas de jengibre fresco rallado
75 g de azúcar glas
60 ml de zumo de lima

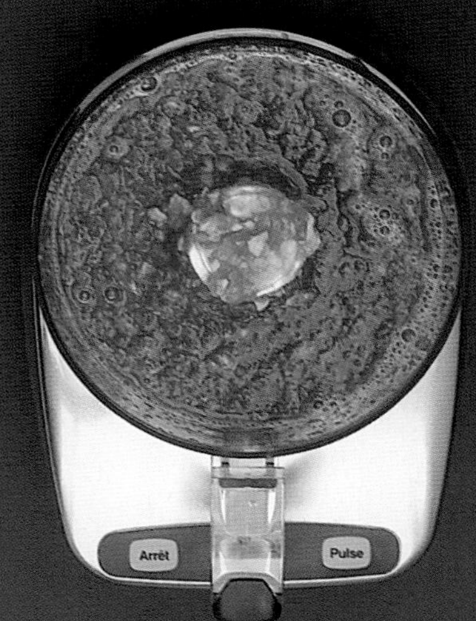

1 2
3 4

1	Escurrir los lichis reservando 250 ml de almíbar.	2	Triturar los lichis y la sandía hasta obtener un puré espeso.	
3	Poner el puré en un tamiz fino y apretarlo con el dorso de una cuchara para extraer el máximo de zumo.	4	Mezclar el almíbar reservado con el azúcar y el jengibre. Hervirlo 10 minutos. Colar. Incorporar la pulpa de las frutas y dejar enfriar.	➤

5	Verter la mezcla en una bandeja grande de metal y meter en el congelador. Dejar que se solidifique durante 2 horas (el sorbete debe parecerse un poco a la nieve en los bordes), luego remover con un tenedor desde el borde hacia el centro. Repetir esta operación 1 o 2 horas más tarde para airear el sorbete, y dejar que se congele del todo 4 horas como mínimo.	**VARIANTE** Este sorbete también puede prepararse con mango (en lugar de sandía). Añadiremos menta picada o agua de rosas en el momento de servir para aromatizarlo.

6	Remover ligeramente el sorbete una vez más antes de repartirlo en copas o vasos para servirlo.

SUGERENCIA

Este sorbete puede servirse entre plato y plato durante una cena copiosa como pausa refrescante.

TRUCO

El hielo se formará con mayor rapidez en una bandeja más grande.

VARIANTE

Este sorbete, aderezado con vodka o tequila y pasado por una licuadora, constituye un cóctel muy fresco en verano.

BUÑUELOS DE PLÁTANO

PARA 4 PERSONAS • COCCIÓN: 15 MINUTOS • PREPARACIÓN: 15 MINUTOS

250 g de harina
60 g de azúcar glas + la cantidad necesaria para espolvorear los buñuelos
1 huevo ligeramente batido

4 plátanos
500 ml de aceite de cacahuete
Helado para servir

1 2

3 4

1	Mezclar la harina y el azúcar en una ensaladera. Hacer un hoyo en el centro.	2	Batir los huevos con 500 ml de agua con gas, verterlos en el hoyo de la harina y mezclar hasta formar una masa sin grumos.	
3	Pelar los plátanos y cortarlos en dos a lo largo. Volver a cortarlos en dos, esta vez a lo ancho.	4	Sumergir los trozos de plátano uno a uno en la masa. Dejar escurrir un poco.	➢

5	Calentar el aceite en un wok y freír los plátanos. Escurrirlos en papel absorbente.	**TRUCO** Escoger un wok grande para freír los buñuelos y dejar que el aceite se caliente bastante tiempo.

VARIANTE	**SUGERENCIA**
La masa quedará más aromática si añadimos una cucharadita de canela y otra de cardamomo.	Para que esta receta tenga un toque asiático más pronunciado, se puede añadir ajonjolí a la masa.

6	Espolvorear los buñuelos con azúcar y servirlos enseguida con el helado.	**VARIANTE** Esta receta sirve también para hacer buñuelos con manzanas cortadas en rodajas gruesas.
TRUCO Escoger plátanos muy maduros y preparar los buñuelos justo antes de servirlos para que se mantengan crujientes.		**SUGERENCIA** Adornar el helado y los buñuelos con un poco de salsa de caramelo en el momento de servir.

ARROZ NEGRO GLUTINOSO

PARA 4 PERSONAS • REMOJO: 8 HORAS • PREPARACIÓN: 10 MINUTOS • COCCIÓN: 30 MINUTOS

400 g de arroz negro glutinoso
500 ml de leche de coco
60 g de azúcar de palma rallado

PARA SERVIR
125 ml de crema de coco
2 mangos frescos

1 2

3 4

1	Poner el arroz en un recipiente, cubrirlo de agua fría y dejarlo en remojo 8 horas.	2	Poner el arroz en una cacerola con 1 litro de agua fría. Llevar a ebullición y cocer 20 minutos a fuego lento. Escurrir bien.
3	Disolver el azúcar a fuego lento en la leche de coco. Añadir el arroz y cocer 10 minutos más.	4	Tapar y dejar en reposo. Servirlo cubierto con crema de coco y medio mango por persona.

ARROZ GLUTINOSO

PARA 4 PERSONAS • REMOJO: 8 HORAS • PREPARACIÓN: 5 MINUTOS • COCCIÓN 20 MINUTOS

400 g de arroz blanco glutinoso
250 ml de leche de coco
60 g de azúcar glas
Fruta fresca para servir

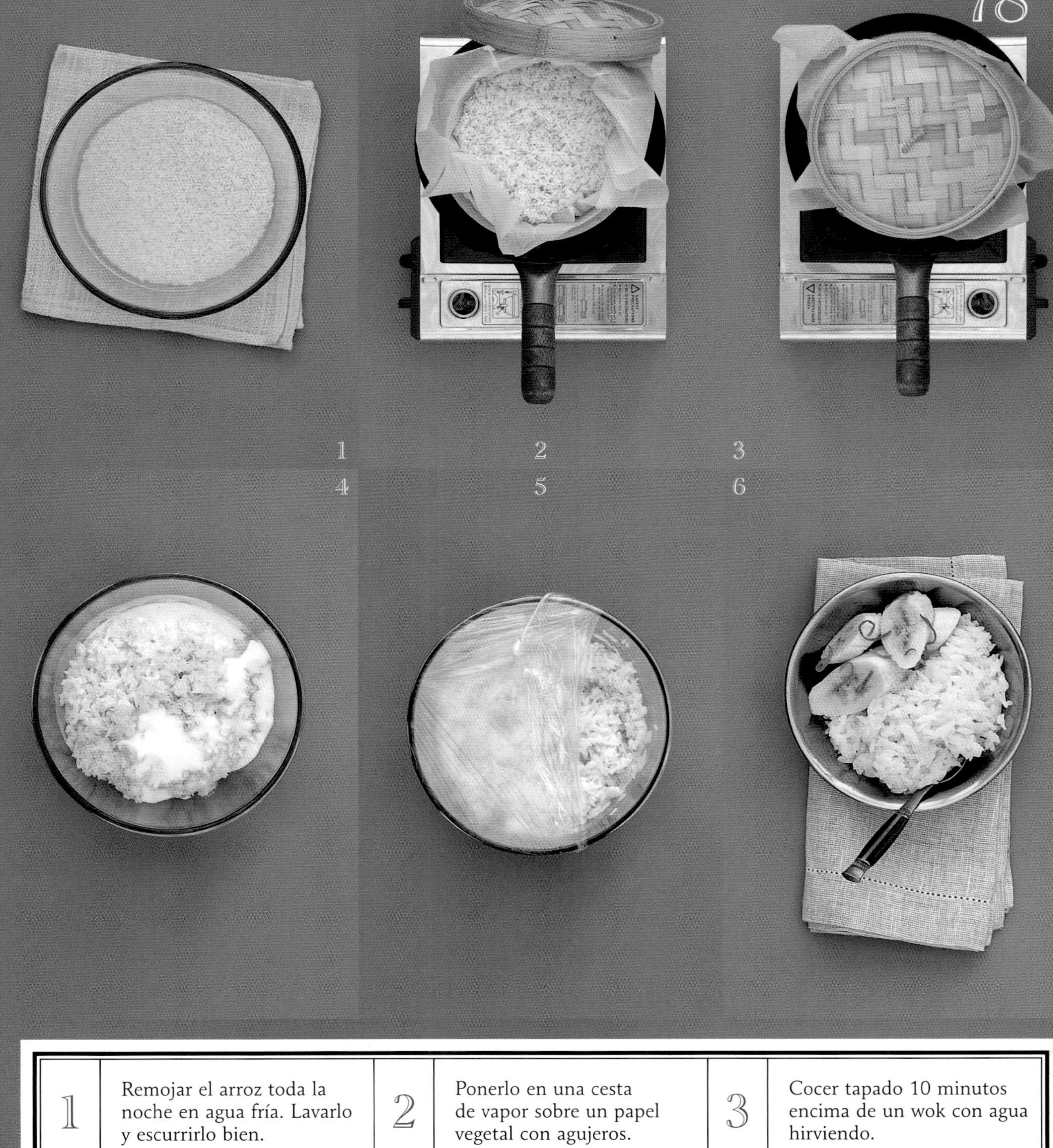

1	Remojar el arroz toda la noche en agua fría. Lavarlo y escurrirlo bien.	2	Ponerlo en una cesta de vapor sobre un papel vegetal con agujeros.	3	Cocer tapado 10 minutos encima de un wok con agua hirviendo.
4	Poner el arroz en una ensaladera y mezclarlo con el azúcar y la leche de coco.	5	Dejar en reposo bastante tiempo para que el arroz absorba la leche de coco.	6	Servir el arroz tibio o frío, con fruta fresca.

79

CREMA TOSTADA

PARA 4 PERSONAS • PREPARACIÓN: 25 MINUTOS • COCCIÓN: 5 MINUTOS • REFRIGERACIÓN: 4 HORAS

250 g de anacardos naturales
500 ml de leche
750 ml de nata espesa
3 estrellas de anís machacadas

250 g de azúcar glas
+ 60 g para caramelizar las cremas
6 yemas de huevo

1	Precalentar el horno a 160 °C (termostato 5-6). Triturar los anacardos hasta obtener una masa espesa.	2	Ponerlos en una cacerola con la leche, la nata, el anís y 185 g de azúcar. Cuando rompa a hervir, infusionar 10 minutos. Colar esta crema.	
3	Batir los huevos con 65 g de azúcar. La mezcla debe quedar clara y espumosa. Añadir luego la crema aromatizada con el anís y los anacardos.	4	Repartir la crema en seis cuencos de 250 ml y ponerlos en una bandeja al baño maría.	➢

5	Cocer las cremas 30 minutos al horno. Dejar enfriar a temperatura ambiente y meterlas luego 4 horas en la nevera. Antes de servir, espolvorear con el azúcar restante y caramelizar la superficie con un soplete de cocina o un quemador de hierro.	**TRUCO** A falta de un soplete de cocina, se pueden pasar las cremas unos minutos por el gratinador de horno para caramelizarlas.

6	La crema queda dorada por fuera, pero sigue fría por dentro. Servir enseguida.

VARIANTE

Esta crema también está riquísima con almendras o pistachos.

TRUCO

La crema puede cocerse en un molde grande, siempre que la bandeja para el baño maría sea lo bastante honda (el agua debe cubrir el molde hasta la mitad). También habrá que aumentar el tiempo de cocción (1 hora aproximadamente).

80

TARTA DE JENGIBRE Y LIMA

PARA 6 - 8 PERSONAS • PREPARACIÓN: 30 MINUTOS • REFRIGERACIÓN: 20 MINUTOS • COCCIÓN: 1 H 15

250 g de harina
125 g de mantequilla en trozos
2 cucharadas de azúcar glas
1 huevo ligeramente batido

RELLENO
2 huevos + 3 yemas de huevo
125 g de azúcar glas
185 ml de zumo de lima

2 cucharadas de cáscara de lima
100 ml de nata espesa
2 cucharadas de jengibre confitado
125 ml de mermelada de lima y jengibre

80

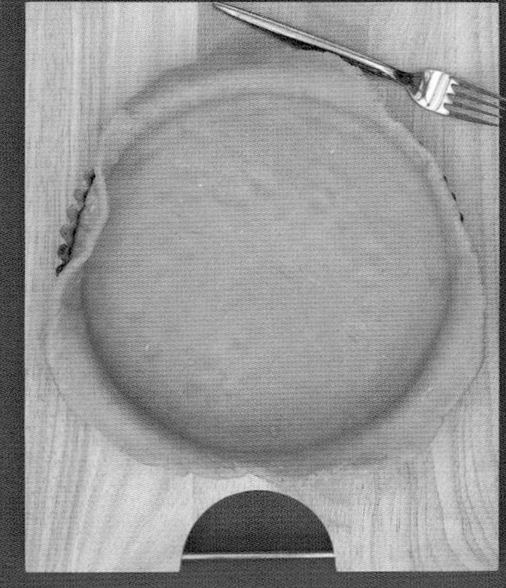

1 2 3

4 5 6

1	Precalentar el horno a 180 °C (termostato 6). Mezclar la harina y la mantequilla hasta obtener una migas.	2	Añadir el azúcar, el huevo y 3 o 4 cucharadas de agua fría para conseguir una masa homogénea.	3	Ponerla en un molde para tartas de 24 cm de diámetro. Pinchar la masa y meterla 20 minutos en la nevera.
4	Cocer primero 20 minutos (con arroz encima) y luego 10 minutos (sin nada).	5	Mezclar todos los ingredientes del relleno, excepto la mermelada.	6	Verterlo en la masa y cocer entre 35 y 45 minutos a 160 °C. ➢

7	Cuando la tarta esté lo bastante fría, calentar la mermelada a fuego lento hasta que quede líquida.

VARIANTE

La tarta también se puede cubrir con mermelada de naranja.

TRUCO

La masa se puede hornear con antelación (paso 4). Se cuece cubierta con arroz o alubias secas (encima de una hoja de papel vegetal), para que la pasta no se hinche y, por último, se cuece 10 minutos sin nada para que el fondo de la tarta se seque bien. Después, reducir la temperatura a 160 °C (termostato 5-6) para cocer el relleno (paso 6).

8 Cubrir la tarta con la mermelada tibia. Dejar enfriar antes de servir.

VARIANTES

Para acentuar el sabor de esta tarta, se puede añadir una cucharadita de jengibre molido al relleno.

SUGERENCIA

Esta tarta también puede servirse tibia. Está deliciosa con nata. Una vez cortada, conservarla en la nevera dentro de una tartera hermética.

FLAN CON LIMA KAFFIR

PARA 4 PERSONAS • PREPARACIÓN: 30 MINUTOS • COCCIÓN: 50 MINUTOS • REFRIGERACIÓN: 4 HORAS

6 hojas de lima kaffir
125 g de azúcar glas para caramelizar
250 ml de leche
250 ml de leche de coco
125 g de azúcar glas
4 huevos ligeramente batidos

1 2

3 4

1	Precalentar el horno a 160 °C (termostato 5-6). Picar muy finas las hojas de lima kaffir.	2	Fundir el azúcar glas a fuego lento en una cacerola. Aumentar el fuego y dejar caramelizar. Repartir en 4 cuencos.	
3	Calentar la leche, la leche de coco y las hojas de lima kaffir hasta llevarlas a ebullición. Luego apartar del fuego y dejar infusionar. Colar.	4	Batir el azúcar glas y los huevos en una ensaladera.	➢

5	Añadir la leche y repartir esta mezcla en cuatro cuencos. Ponerlos en una bandeja grande, verter agua hasta la mitad y hornearlos durante 40 minutos.	**TRUCO** Este postre debe prepararse con suficiente antelación para que pueda enfriarse (4 horas como mínimo, aunque es preferible una noche entera), lo que permitirá desmoldarlo fácilmente.

6	Dejar enfriar 4 horas como mínimo. Para servir, desmoldar los flanes en platos de postre.	**TRUCO** Para cocer los flanes conviene utilizar cuencos de 250 ml que aguanten temperaturas altas.

TRUCO

Para destacar más el sabor de la lima kaffir, se sustituirá la leche de coco por leche de vaca.

VARIANTE

Los cuencos se pueden sustituir por un molde grande. Habrá que aumentar por tanto el tiempo de cocción (1 hora aproximadamente).

PUDIN DE SAGÚ

PARA 4 PERSONAS • PREPARACIÓN: 5 MINUTOS • COCCIÓN: 20 MINUTOS • REPOSO: 30 MINUTOS

95 g de sagú perlado
500 ml de agua fría
400 ml de crema de coco
60 g de azúcar de palma rallado

1 2

3 4

1	En una cacerola, poner el agua con el sagú y llevar a ebullición. Cocer 10 minutos a fuego fuerte.	2	Apartar del fuego, tapar y dejar reposar 30 minutos. El sagú espesará y se volverá traslúcido.
3	Añadir a continuación la crema de coco y el azúcar de palma.	4	Cocer 10 minutos a fuego medio sin dejar de remover para que espese. Servir enseguida.

PANNA COTTA AL TÉ VERDE

PARA 6 PERSONAS • PREPARACIÓN: 25 MINUTOS • COCCIÓN: 5 MINUTOS • REPOSO: 4 HORAS

1 cucharada de té verde japonés en polvo
250 ml de leche
500 ml de nata espesa
125 g de azúcar glas
1 ½ cucharadas de gelatina en polvo
Aceite vegetal para pintar los cuencos

1 2 3

4 5 6

1	Batir el té en un poco de leche para diluirlo. Luego agregar progresivamente la leche restante.	2	Añadir el azúcar y la nata y llevar la mezcla a ebullición. Apartar del fuego y dejar que se temple un poco.	3	Diluir la gelatina en un poco de agua caliente y verter sobre la mezcla tibia. Mezclar bien.
4	Aceitar ligeramente el fondo y los lados de 6 cuencos de 125 ml.	5	Verter la mezcla en los cuencos y dejar 4 horas en frío para que cuaje.	6	Pasar un paño húmedo por las paredes de los cuencos para desmoldar las cremas.

APÉNDICES

GLOSARIO

MENÚS

ÍNDICE GENERAL

ÍNDICE DE RECETAS

ÍNDICE DETALLADO

AGRADECIMIENTOS

GLOSARIO

ALBAHACA TAILANDESA (HORAPA)
Esta variedad de la albahaca presenta tallos teñidos de púrpura y un sabor anisado bastante pronunciado.

ALUBIAS NEGRAS SALADAS
Son alubias de soja muy saladas, se venden en lata o en tarro. Hay que lavarlas bien antes de utilizarlas y no echar demasiada sal en el guiso. Se conservan hasta seis meses en la nevera dentro de una tartera.

ANÍS ESTRELLADO
Llamado también badián, es una vaina seca en forma de estrella, cuyos granos tienen aroma y sabor a anís.

ARROZ GLUTINOSO
Se consume en el norte de Tailandia para acompañar la ensalada de papaya verde. Se puede cocinar azucarado o salado. Hay que dejarlo en remojo una noche entera en agua fría antes de cocinarlo.

ARROZ GLUTINOSO NEGRO
Solo se utiliza en la preparación de postres. Al igual que el arroz glutinoso blanco, hay que dejarlo en remojo una noche entera antes de hervirlo.

ARROZ JAZMÍN
Es un arroz largo con un aroma delicado, muy usado en la cocina tailandesa. Tiene un sabor muy diferente al del arroz basmati. Se cocina al vapor, como acompañamiento de casi todas las recetas.
Hay que enjaguarlo antes de hervirlo.

ARROZ PARA SUSHI
Se emplea un arroz de grano redondo, rico en almidón y que al enfriarse queda glutinoso. Hay que enjuagarlo antes de hervirlo.

AZÚCAR DE PALMA
Se fabrica a partir de la savia extraída del tronco de la palma de azúcar o del cocotero. Se vende en tarros o en bloques gruesos para rallar. El azúcar de palma rubio es más dulce que el moreno. En su defecto, se sustituirá por azúcar de caña moreno.

BROTES DE BAMBÚ
Jóvenes plantas de bambú comercializadas generalmente en conserva. Los brotes enteros, que también se venden en lata, suelen ser más sabrosos que los brotes cortados en láminas. Es necesario lavarlos y escurrirlos antes de usarlos.

CASTAÑAS DE AGUA
Estos bulbitos blancos, cuya forma recuerda la de las castañas, tienen una carne firme y el sabor fresco de las nueces. Se conservan un mes en la nevera una vez abierta la lata.

CHALOTES
Los chalotes son cebollas rojas asiáticas. Las tiendas especializadas en comestibles asiáticas venden chalotes fritos en tarros, que resultan idóneos para aromatizar sopas y ensaladas.

CILANTRO
Esta hierba es muy importante en las cocinas tailandesa y china. Se utilizan las hojas frescas, que se añaden en el último momento para evitar que pierdan su sabor en la cocción. Las raíces también se usan pra preparar salsas de curry.

COPOS DE BONITO
Se obtienen del bonito cocido. Los trozos de pescado se secan y se reducen a copos muy finos, con los que se prepara el dashi (caldo japonés) o se espolvorean las sopas antes de servir.

CREMA DE MAÍZ
Se trata de maíz triturado, que se vende en conserva en las tiendas de comestibles asiáticas o en las secciones de cocina internacional de las grandes superficies.

CREPES CHINAS
Hechas a base de harina y agua, que se vende en la sección de productos frescos de las tiendas de comestibles asiáticas. También hay crepes a la cebolleta, el acompañamiento ideal del pato al estilo pequinés.

CURRY JAPONÉS
Es una pasta preparada que se vende en dados o en lata, más o menos fuerte según la clase. El curry japonés se cocina sobre todo con patatas.

DASHI
Ingrediente básico de la cocina japonesa a base de caldo preparado con bonito y konbu (alga). En las

tiendas especializadas, se puede comprar en polvo instantáneo, para diluirlo en agua hirviendo (1 litro de agua por cada 15 g de dashi).

FIDEOS DE ARROZ
Los fideos de arroz frescos, de un blanco puro, se venden en hojas (para recortar) o en cintas de distintas anchuras. Hay que ablandarlos en agua hirviendo. También hay fideos de arroz secos, que se venden en bolsitas en las tiendas de comestibles asiáticas.

FIDEOS DE SOJA
Estos largos filamentos transparentes, llamados también fideos celofán, se hacen con almidón de soja. Hay que ponerlos en agua caliente antes de utilizarlos, a no ser que se frían.

FIDEOS HOKKIEN
Fideos de trigo frescos, que parecen espaguetis gruesos; no necesitan ponerse en remojo.

FIDEOS SOBA
De color marrón grisáceo, estos fideos japoneses de textura consistente se preparan con alforfón. Bastan 100 g por persona.

FIDEOS UDON
Fideos japoneses bastante gruesos que se venden secos en las tiendas de comestibles asiáticas. Se emplean en sopas y ensaladas, y salteados.

GALANGA
Pariente del jengibre, pero con un sabor más amargo. De color crema cuando es tierna, es perfecta para aromatizar sopas. Al madurar, sus tallos se oscurecen y es ideal para aromatizar currys.

GAMBAS SECAS
Estas gambas forman parte de muchos platos asiáticos. Se pueden rehogar en aceite para que desprendan su aroma o añadir directamente al plato.

GUINDILLAS
Las guindillas pequeñas, o pimientos de cayena, son las más picantes; hay que usarlas con precaución. La sustancia picante está en las semillas y la membrana. En los platos muy sazonados se añaden picadas. Se pueden dejar enteras sin abrir en los platos poco picantes. Las guindillas grandes se usan sobre todo por su aspecto, pues son menos picantes que los pimientos de cayena. Pueden aderezar una ensalada, una sopa o un curry después de quitarles las pepitas y las membranas.

GUINDILLAS VERDES
Las guindillas verdes son más dulces que las rojas y suelen utilizarse para preparar la pasta de guindilla verde. También son menos picantes que las guindillas verdes grandes.

HIERBA LIMÓN
Esta planta, también conocida como citronela, similar a una hierba, es muy habitual en la cocina tailandesa y vietnamita. Se arrancan las hojas verdes y se conserva solo el tallo; cortado en láminas o machacado, aromatiza los currys, los platos salteados y las marinadas.

JENGIBRE
Este rizoma nudoso y grueso, de sabor fuerte y picante, procede de una planta tropical. Se pela y se ralla, o se corta en juliana. Aromatiza sopas, currys o platos salteados. El jengibre marinado (en vinagre) es un condimento muy utilizado en Japón, entre otras cosas para acompañar el sushi y el sashimi.

KAFFIR
Véase «Lima».

KECAP MANIS
Salsa de soja espesa y azucarada muy utilizada en la cocina indonesia. Algunas recetas son más azucaradas; otras, más saladas.

LECHE O CREMA DE COCO
La crema es la parte espesa de la leche de coco que suele formarse en la superficie de las latas. Si no se agita la lata, se puede retirar con una cuchara. También se vende en envases pequeños.

LIMA
Variedad de cítrico también conocida como *kaffir*. El fruto tiene una corteza irregular verde oscura y es más ácido y aromático que el limón amarillo. Sus hojas se utilizan mucho en la cocina tailandesa e indonesia para aromatizar las sopas y los currys.

MAYONESA JAPONESA
Esta mayonesa espesa es muy preciada entre los japoneses como condimento para el sushi. Se vende en tarros en las tiendas de comestibles asiáticas y tiene un sabor más picante que nuestra mayonesa.

MENTA VIETNAMITA (LAKSA)
Tiene hojas en punta y un sabor a menta muy pronunciado. Se puede sustituir por menta común.

MIRIN
Este vino de arroz de sabor azucarado se utiliza sobre todo para cocinar. Aporta una nota suave a las marinadas y las salsas, y carameliza ligeramente las parrilladas japonesas. Se puede sustituir por sake, al que se añade un poco de azúcar (1 cucharadita de azúcar por 1 cucharada de sake).

MISO
Pasta fermentada elaborada con soja y arroz, o cebada, muy usada en la cocina japonesa. Cuanto más clara es, más suave es su sabor. Las pastas oscuras se consumen más en invierno y las claras se sirven sobre todo en verano.

NORI
Algas fritas y prensadas en hojas que los japoneses utilizan para preparar sushi.

NUOC-MÂM
Véase «salsa de pescado».

PAN RALLADO JAPONÉS
Lo venden en las tiendas asiáticas y su textura es más ligera que la del pan rallado común. En su defecto, se utilizará pan de miga duro machacado en migajas finas.

PASTA DE CURRY ROJO
Se prepara con guindillas secas y chalotes. Aunque es menos picante que la pasta de curry verde, hay que probarla para ajustar la cantidad según su sabor más o menos fuerte.

PASTA DE GAMBAS
Tiene un sabor muy pronunciado. Se puede rehogar en aceite o asar envuelta en un papel de aluminio para que desarrolle sus aromas. Se conserva en la nevera durante meses dentro de una tartera.

PASTA DE GYOSA
Estas finas tortitas, preparadas con agua y harina, deben su nombre a los pastelillos japoneses de cerdo. Se venden en la sección de productos frescos de las tiendas de comestibles asiáticas. La pasta es más blanca y más espesa que la del wantán (ravioli chino), pero se puede utilizar esta última a falta de pasta de gyosa.

PASTA DE WANTÁN
En hojas redondas o cuadradas, se utiliza para hacer raviolis chinos, que se fríen o se cocinan al vapor. La pasta amarilla está preparada con huevos. Se vende en la sección de productos frescos en las tiendas de comestibles asiáticas y a veces también en las grandes superficies.

POLVO DE CINCO ESPECIAS
Mezcla aromática de especias molidas: canela, clavo, anís estrellado, hinojo y pimienta de Sichuan. A veces se añade jengibre, cardamomo o cilantro.

SAGÚ
Harina extraída del tronco de la *Cycas resoluta*, o palma del sagú, una variedad de palmera muy extendida en Indonesia. Suele venderse en forma de perlitas (como la tapioca) y prepararse de postre, cocida en agua o leche de coco.

SAKE
Alcohol de arroz japonés servido como bebida o usado para cocinar. Dulcifica el sabor salado de los preparados y les añade una nota perfumada.

SALCHICHA CHINA
Preparada con carne magra de cerdo asiático esta salchicha secada está precocinada al vapor. Se usa para arroces salteados y platos de carne con salsa.

SALSA DE CIRUELAS
Bastante espesa, se prepara con ciruelas hervidas, azúcar y especias. Su sabor agridulce casa bien con el cerdo y el pato. Se vende en las grandes superficies y en todas las tiendas de comestibles asiáticas.

SALSA DE OSTRAS
Salsa espesa a base de ostras, sal y salsa de soja. Para los platos vegetarianos, puede sustituirse por una salsa preparada con setas.

SALSA DE PESCADO
Se llama nam-pla en Tailandia y nuoc-mâm en Vietnam. Es un líquido marrón de olor fuerte, empleado para realzar el sabor de los platos. Se compone de pescados curados y fermentados. Como es más o menos salada según las recetas, conviene probarla antes de sazonar un plato.

SALSA DE PIMIENTO ROJO
Salsa poco picante compuesta de pimientos rojos, azúcar, ajo y vinagre de vino blanco.

SALSA DE SOJA
Ingrediente básico de la cocina china, preparado con judías de soja fermentadas. Hay salsa de soja clara, que se utiliza sobre todo para el pollo, el pescado y los manjares delicados; y salsa marrón, más espesa y cuyo pronunciado sabor casa bien con las marinadas o los platos ricos. Las salsas que llevan la mención «light» en la etiqueta tienen menos cantidad de sal que las salsas clásicas.

SALSA HOISIN
Salsa china espesa, azucarada y aromática, elaborada con pasta de brotes de soja salados y fermentados, cebolla y ajo. Se sirve con pato laqueado o para mojar los pastelillos al vapor, pero también es muy útil para aromatizar las marinadas.

SETAS SECAS
Las más comunes son las shiitake, cuyo sabor es muy aromático. Para rehidratarlas, hay que remojarlas durante 20 minutos en un poco de agua tibia. Después se puede utilizar el agua para aromatizar un caldo o una salsa.

TAMARINDO
La pulpa se vende en forma de bloque compacto que contiene tanto la pulpa como las semillas del fruto. Se pone a hervir en agua para hincharlo antes de prensarlo para quitar las semillas. También se vende concentrado de tamarindo, listo para usar.

TÉ VERDE EN POLVO
Característico de la ceremonia del té japonés, se presenta en forma de polvo finísimo (como harina). Puede servir para aromatizar postres, pero conviene poner muy poco porque es un producto muy caro. Antes de utilizarlo hay que diluirlo en un poco de leche o agua.

TOFU
Es una pasta blanca obtenida al cuajar la leche de soja. El tofu sólido posee una textura granulosa similar a la feta griega. Se vende en bloque (sección de productos frescos de las grandes superficies) y puede prepararse de distintas maneras: en dados o machacado, frito o fresco con especias, etcétera. El tofu sedoso tiene la consistencia de un yogur espeso y puede utilizarse en sopas o salsas.

TORTAS DE ARROZ
Se venden congeladas o secas (en este caso hay que reblandecerlas en un poco de agua caliente) y sirven para preparar nems y rollitos de primavera.

VINO DE ARROZ
Vino amarillo de entre 14° y 19°, envejecido durante diez años, cuyo sabor recuerda ligeramente al oporto blanco o al jerez. Es fácil encontrarlo en las tiendas de comestibles asiáticas. Aromatiza muchas recetas, pero también se puede servir como bebida en la mesa; en este caso, se suele templar un poco.

VINAGRE DE ARROZ
De venta en las tiendas de comestibles asiáticas, puede ser blanco, negro o rojo, según la variedad de arroz utilizada. Se obtiene a partir de la fermentación del arroz o del vino de arroz. El vinagre negro tiene un sabor azucarado y se utiliza para los estofados. El vinagre rojo suele utilizarse para mojar los pastelillos al vapor. El vinagre blanco es muy suave; puede sustituirse por una mezcla de agua y vinagre de sidra (en cantidades iguales), pero el resultado no será tan bueno.

WAKAME
Alga japonesa seca muy perfumada. Se pone en agua para que se hinche antes de servirla en ensaladas y sopas.

WASABI
Condimento japonés muy picante que se obtiene a partir de la raíz del rábano blanco. Se vende en tubo o en polvo, que es necesario rehidratar para formar una pasta espesa.

MENÚS

JAPONÉS

CHINO

VIETNAMITA

TAILANDÉS

INDONESIO

ÍNDICE GENERAL

1

ENTRANTES

SOPAS

CON LOS DEDOS

ENTREMESES

2

CARNES

CARNES SALTEADAS

CARNES ASADAS

CLÁSICOS

CURRYS

3

AVES

4

PRODUCTOS DEL MAR

5

VERDURAS

FRITURAS

CURRYS

CON HUEVO

DE ACOMPAÑAMIENTO

6

POSTRES

FRUTAS

ARROCES CON LECHE

CREMAS

ÍNDICE DE RECETAS

ÍNDICE DETALLADO

AGRADECIMIENTOS

Concebir un libro de cocina nunca es cosa de una sola persona. De modo que me gustaría mostrar mi agradecimiento a todas aquellas y a todos aquellos que me han permitido escribir este.

De Marabout, gracias a Jennifer por su implicación en todas las etapas del proyecto y por el placer que me ha producido trabajar con ella; gracias también a Emmanuel, por haber creado una paginación original y por su trabajo con los colores. Gracias igualmente a Catie Ziller, que ha garantizado la coherencia del conjunto en un estado bastante avanzado de su gestación. Cómo no mencionar también a Clive Bozzard-Hill, el afiicionado a los crucigramas más inteligente que conozco, pero que además hace maravillas con la fotografía, por poner en escena los ingredientes; y a su mujer, Jane Bozzard-Hill, que ha concebido el libro y organizado la distribución de las fotografías. Gracias también a Zoe y Lucie, por las grandes sonrisas que traían todos los días del colegio y por permitirme ocupar su sala de juegos.

Asimismo, quiero dar las gracias a mis ayudantes de cocina: Sarah Delulio, Rob Allison y Belinda Altenroxel. A Byron, Sasha, Caitlin y Elice por el alegre bullicio en medio del cual transcurrió mi estancia en su hogar y les agradezco además que me permitieran recuperar mi espíritu de adolescente.

Gracias a mi mano derecha, Tracey Gordon, culpable de que mi trabajo me produzca tanta felicidad: fue una auténtica gozada estar una vez más entre fogones al lado de la mejor cocinera del Oeste. También fue un verdadero placer volver a trabajar con mi editora Kathy Steer, cuya sagacidad posee el increíble don de calmar mi angustia allá donde me encuentre. Y a Annie, la amiga querida de mi corazón, le agradezco que se hiciera cargo de mis asuntos cuanto yo me hallaba al otro lado del mar.

Por supuesto, no puedo escribir un libro de cocina sin hacer una mención especial de mi querida Pridey, la niña de mis ojos; quienes no tengan perro pensarán que soy una excéntrica, pero quienes lo tengan saben que su amistad es incomparable. Gracias a Dave por ocuparse de ella cuando yo estaba en Londres para preparar este libro.

Para terminar, gracias a mis amigos y a mi familia, que son el apoyo sin el cual no podría sostenerme. Vuestro amor y vuestro apoyo paciente valen mucho más que todas las acciones del grupo Macquarie.

Título original: *Les basiques d'Asie*

© 2008, Marabout
© 2009, Random House Mondadori, S.A., por la presente edición.
Travessera de Gràcia, 47-49. 08021 Barcelona
© 2009, Maria Enguix, por la traducción

Quedan prohibidos, dentro de los límites establecidos en la ley y bajo los apercibimientos legalmente previstos, la reproducción total o parcial de esta obra por cualquier medio o procedimiento, ya sea electrónico o mecánico, el tratamiento informático, el alquiler o cualquier otra forma de cesión de la obra sin la autorización previa y por escrito de los titulares del *copyright*. Diríjase a CEDRO (Centro Español de Derechos Reprográficos, http://www.cedro.org) si necesita fotocopiar o escanear algún fragmento de esta obra.

Fotocomposición: puntgroc, s.l.

ISBN: 978-84 253-4346-9

Impreso en Gráficas Estella

GR43469